人生の疑問

ニッキー・ガンベル著
Nicky Gumbel

目次

まえがき

この本はとてもふさわしい時期に出版されました。キリスト教の文献では何年にもわたって説明されていなかったものを、この本は埋めています。最近のデータは、英国の教会では信徒は大変に減少していて、特に20歳未満の若い人びとが憂慮すべき勢いで減少していると示しています。その一方で、多くの教会が成長しているという非常に勇気づけられる兆しがあるのも事実です。しかし、全体的に見て、英国ではいまだに教会生活に対して、ニッキーが本著で指摘しているような退屈、衰退、幻滅の傾向にあります。しかしその一方で、霊的なことに関して確実に新しい興味が出てきています。「真理とは何か？」という昔からの疑問に対して、どこかに何か現代の答えがあるのではないかという、求めと期待が大きくなっているのです。

『人生の疑問』は、今でも最も魅力的で人の心をとらえて離さないイエス·キリストを紹介する入門書ですが、非常に読みやすく書かれています。よく調べ、準備したニッキー·ガンベルのアプローチの仕方は、真理の探求というものを知的にも心情的にも満たすものです。

ニッキーがこのアルファ·コースのために注ぎこんでくださった努力と働きに、心から感謝しています。このコースを通して、文字通り何百人もの人が深く影響を受け、今では、さらに多くの人びとが各地でこのコースに参加できるようになりました。この読みやすい大変価値のある本を、私は心から推薦します。

サンディー・ミラー
ホーリー・トリニティ・ブロンプトン教会

はじめに

今日、キリスト教の信仰に、特にイエスという人物に対して新しい興味がもたれています。イエスの誕生から2000年の間に、キリストに従う者は20億人にのぼります。クリスチャンは、信仰の創始者であり、人生の主であるイエスにいつも魅了されています。しかし、今、教会に行っていない人びとの間でも興味が持たれているのです。多くの人がイエスについて質問をしています。イエスはただの人間だったのか、それとも神の子なのか、と。もし神の子なら、私たちの毎日の生活にどのように密接な関係があるのでしょうか。

この本は、キリスト教の信仰の核にあるいくつかの主要な質問について答えようとしています。これは、ホーリー・トリニティ・ブロンプトン教会で、教会に行ったことのない方やキリスト教についてもっと知りたい方、またクリスチャンになったばかりの方のために行なっている、「アルファ」というコースに基づいています。アルファが130カ国以上の国で24,000コース以上にも広がってきたことを、私たちは驚きをもって見てきました。男女を問わず様々な年齢の何千人もの方々が、キリスト教に関してたくさんの質問をかかえてコースに参加され、そこで神を自分の父として、イエス・キリストを自分の救い主・主として、聖霊を自分の内に住んでくださる方として見出しておられます。

この本をお読みになって建設的なご意見をくださった

すべての方々に、また、原稿の原文と改訂版を、大変に効率よく短い時間で忍耐強くタイプしてくださったクレシダ·イングリス·ジョーンズに感謝いたします。

ニッキー·ガンベル

1

キリスト教とは？

長い間、私はキリスト教に対して、三つの点で反対していました。まず第一に、キリスト教は退屈だと考えていました。学校のチャペルに行っても全然面白くありませんでした。ロバート・ルイス・スティーヴンソンは、まるで素晴らしい発見をしたかのように「今日、教会に行ってきた。それなのに、落ち込んでいない」と日記に書いていますが、私もまったく同感でした。アメリカのユーモア作家のオリヴァー・ウェンデル・ホームズは「私の知っている聖職者が葬儀屋のような暗い表情や振る舞いをしていなかったら、私も聖職に就いていたかもしれない」と言っています。キリスト教に対する私の印象は、陰気で退屈というものでした。

次に、キリスト教は偽りのように思えました。論理的に考えて賛成しかねる部分がありましたし、いくぶん自惚れではありますが、自分のことを論理的決定論者だと思っていたのです。14歳のとき、宗教学の時間に、キリスト教を論破し、神の存在を否定する小論文を書きましたが、驚いたことにこの小論文で賞を頂いてしまいました。キリスト教を論破してキリスト教に反対することを楽しみ、いい気分になっていました。

第三に、キリスト教は自分にとっては無関係なものだと思っていました。2000年も前に2000マイルも離れた中東で何が起こったとしても、それが20世紀の英国に生きる自分の生活には何の関係もないと思っていたのです。英国の学校でよく歌っていた「エルサレム」という賛美歌の中に「そしてあの足が遠い昔、イギリスの緑の山々の上を歩いたのか･･･」という歌詞があります。その答えはもちろん「ノー」です。私の人生にはまったく無関係なことでした。

今になって思えば、これは私の責任でもありました。なぜなら、キリスト教について真剣に耳を傾けたこともなく、完全に無視していたからです。今日この世俗化した社会には、イエス･キリストとは誰なのか、何をしたのか、キリスト教に関することを何も知らない人たちが大勢います。ある病院のチャプレンが「聖餐式をしますか？」と聞いてみると、次のような答えが返ってきたといいます。

「いえ、結構です。英国国教会の信徒ですから」。

「いえ、結構です。もうコーンフレークを頼みましたから」。

「いえ、結構です。ユダヤ教徒ではありませんから」。（＊1）

キリスト教は、退屈からはほど遠いものです。偽りでもなく、無関係でもありません。それどころか、キリスト教は心が喜びで満たされるものであり、真実であり、私たちの人生に深い関わりのあるものなのです。イエスは言われました。「わたしは道であり、真理であり、命である」（ヨハネ14:6）。もしイエスが正しいのなら ― 私はそう信じていますが ― この人生でイエスに応答すること以上に重要なことはありません。

失われた世界の道しるべ

人は皆、神と関係を持って生きるように創造されました。この関係がないと、人は心に飢え渇きを感じ、何かが欠けているという空虚さが常にあるのです。チャールズ皇太子は次のように言っています。科学の発展にもかかわらず、「魂の（あえてこの言葉を使わせていただくなら）奥底に、常に無意識の不安があり、何かが欠けている。人生を意味あるものにする何かが足りないという思いが常にある」。

バーナード・レビンはおそらく当代随一のコラムニストですが、「人生の大いなる謎：人生の意味を探る時間すらない」というコラムを書きました。その中で、20年以上にもわたるコラムニストとしての成功にもかかわらず、「夢を追うことで現実を無駄にしてしまった」かもしれないという危惧を述べています。ここに引用しましょう。

はっきり言って、死ぬ前に、生まれてきた意味を知ることができるのだろうか。･･･まだこの答えを見つけてはいないが、この答えを見つけるために残された時間は、今まで過ごしてきた時間に比べれば短いものであることは確かだろう。時間切れになる危険性も十分にある。…なぜ、生まれてきた理由を知る必要があるのだろうか。なぜなら、それはもちろん、生まれてきたのが偶然だったとは思えないから。そして、偶然でないなら、意味があるに違いないと思うからだ（*2）。

彼はクリスチャンではありません。何かの折に「百万回言うが、私はクリスチャンではない」と書いています。しかし、彼は、人生の意味に対して適切な答えがないことに充分に気づいていたようです。これより数年前には、次のように書いています。

私たちのような国には、思いのままに物質的な安楽を手に入れ、幸福な家庭のような、物質的ではない祝福にもあずかっている人があふれている。しかも、静かな生活、時には派手な生活、自暴自棄の生活をしている。彼らは自分の内に穴があることだけは認識している。そして、そこにどれほどの食べ物や飲み物を注ぎ込んでも、どんなに多くの車やテレビを詰め込んでも、どんなに素晴らしい子どもたちや忠実な友人に囲まれていても、その穴は埋まらないのである。…そして、それは痛く、疼くのだ(*3)。

人生の意味や目的を求めて生きることに、多くの時間を費やす人がいます。『戦争と平和』や『アンナ・カレーニナ』などの著作を残したレオ・トルストイは1879年に『懺悔』という本を書きました。この本の中で、彼は人生の意味と目的を探した自分の軌跡を記しています。彼は子どものころ、キリスト教を否定しました。大学を出た後、できる限りの楽しみを手に入れようとしました。モスクワとサンクト・ペテルブルグの社交界に入り、酒と女と賭博にふけり、放蕩の限りをつくしました。しかし、何も彼を満たすことはできませんでした。

それから、彼はお金に対してとても貪欲になりました。不動産を相続し、本の印税で巨額の富を手にしましたが、これも彼を満足させることはできませんでした。成功と地位と名声を追い求め、これらをすべて手に入れました。『ブリタニカ百科事典』には、トルストイは「世界文学史上最も優れた著作の一つを残した作家」として名前があげられています。しかし、彼は、「で、人生の意味とは何なのだ？」という質問を繰り返し続けます。しかし答えは見つからなかったのです。

後に、トルストイは家庭という大きな夢を抱くようになり、家族に最高の生活をさせようと情熱を燃やします。1862年に彼は結婚しました。そして、やさしく素晴らしい妻と13人の子どもに恵まれました（この時点で、人生の意味を追求するのを一時中断したと彼は言っています）。望んでいたもの全てを手に入れ、完璧な幸せのように見えるものに囲まれていました。しかし、まだなお彼を自殺の淵まで追いやる疑問が一つありました。「私を待ち受けている死という必然によって消滅することのない意味が、私の人生にはあるのだろうか？」

彼は、科学と哲学の中にその答えを見つけようとしました。「自分はなぜ生きているのか」という疑問に対して得られた唯一の答えは、「無限の空間と無限の時間の中、限りなく小さい粒子が限りない複雑さをもって突然変異するから」というものでした。

同世代の人びとを見回しても、人生における最も重要な疑問（「自分はどこから来たのか」「どこに向かっているのか」「自分は誰なのか」「人生とは何なのか」）に向き合っている人はいないようでした。やがて彼は、ロシアの農民がキリスト教の信仰を通してこれらの疑問に対する答えを得ていることを知りました。トルストイは、イエス・キリストを通してのみ、答えを見つけることができるということに気づいたのです。

100年以上たった今も、何も変わっていません。ロック・グループのリード・ボーカルだったフレディ・マーキュリーは1991年に亡くなりましたが、『ザ・ミラクル』というアルバムの中の彼が書いた最後の曲には「俺たちが何のために生きているか、だれか知らないか」という歌詞があります。彼は巨額の富を手にし、多くのファンを魅了したにもかかわらず、亡くなる直前のインタビューの中で、ひどく孤独であると言っています。「この世の中のすべての物を手に入れても、この世で一番孤独な男になりうる。思うに、これが一番たちの悪い孤独だ。成功したおかげで俺は世界的に有名になって、何百万ポンドも手に入れた。でもそのせいで、人間が最も必要としているものは手に入れられなかったんだ。愛にあふれた、変わることのない人間関係は手に入れられなかったんだよ」。

「変わることのない人間関係」をだれもが必要としていると言った彼の言葉は正しいと思います。しかし、どんな人間関係も完全に満足できるということはありません。永遠に続くということもありません。いつも何か欠けていると感じるのです。なぜなら、私たちは神と関係を持って生きるように造られたからです。イエスは言われました。「わたしは道である」。イエスこそ、永遠に続く神との関係に私たちを導くことのできる唯一の方なのです。

私がまだ子どものころ、家に古い白黒のテレビがありましたが、画像はあまりよくありませんでした。画面はいつもぼやけて線が入っていました。それしか知らなかったので、私たちはそのテレビにかなり満足していました。ある日、私たちは、屋根の上にアンテナが必要だということが分かったのです！　突然、きれいではっきりした画像が見られるようになりました。私たちの楽しみは以前とはすっかり変わりました。イエス･キリストを通して神との関係を持つことのない人生は、アンテナのないテレビのようなものです。もっと良いものがあるとは知らないので、かなり満足している人もいます。しかし、一度神との関係を体験すると、人生の目的と意味がはっきりと分かるようになります。今まで見たことのなかったものが見えるようになり、以前のような暮らしに戻ることはばかげたことのように思えてきます。私たちがなぜ創造されたか理解できるようになるからです。

混乱した世界にある真実

「自分に忠実なら、何を信じようとかまわない」と言う人がいます。しかし、自分に忠実に生きながら間違ったことをすることもありえます。アドルフ･ヒトラーは、その一例です。彼の信念は何百万という命を奪いました。「ヨークシャー･リッパー」と呼ばれた殺人者は、娼婦を殺すことが神の御心だと信じていました。彼もまた自分に忠実に生き、間違った行いをしました。彼の信念が彼の行動に影響しました。これらは極端な例ですが、私たちが何を信じるかは大変重要なことであるということが分かります。なぜなら、私たちは信じるものによって、生き方が決定づけられるからです。

クリスチャンに向かって「あなたにとっては素晴らしいことでしょう。でも、私には必要ない」と言う人もいるかもしれません。ですが、これは論理的な意見ではありません。もしキリスト教が真実なら、私たちすべてに重要性を持っています。もし真実でなかったら、クリスチャンは惑わされているのであって、「私たちにとって素晴らしい」ものではありません。目を覚ますのが早ければ早いほどよいということになります。著述家であり学者のC.S.ルイスは「キリスト教は、もし偽りであるなら、まったく重要ではなく、もし真実なら無限の重要性を持つ教えである。ただ一つありえないのは、ほどほどに重要であるということである」（＊4）と言っています。

キリスト教は真実でしょうか。証拠はあるのでしょうか。イエスは言われました。「わたしは･･･真理である」。このイエスの主張を裏付ける証拠はあるのでしょうか。これらの質問については、後でくわしく見ていきましょう。キリスト教の信仰の中心は、イエス・キリストの復活であり、これに関する証拠はたくさんあります。ラグビー校校長で英国教育に革命的変化をもたらしたトマス・

アーノルド教授は、オックスフォード大学の近代史学部長に任命されました。彼はまさに、歴史的事実を確定する際に、証拠がいかに重要であるかを熟知した人でした。その彼が、次のように言っています。

> 他の時代の歴史の研究に長年たずさわり、それらの時代の諸研究の証拠を検証してきたが、その私が知っていることは、キリストが死んで死者の中から復活されたという事実、神が私たちに示されたこのしるしほど、キリスト教が本物かどうかと尋ねる人びとに完全明快な理解を与える証拠は他にはないことである。

本書で後に見ていきますが、キリスト教が真実であるという証拠はたくさんあります。しかし、イエスが「わたしは･･･真理である」と言われるとき、頭で理解する真理以上のことを意味していました。真理という言葉の元来の意味には、真理を行なうあるいは真理を体験するという概念が含まれていました。真理であるイエス･キリストを知るということは、キリスト教の真理を理性で受け入れるだけにはとどまらないのです。

仮に私が、妻のピッパに出会う前に彼女に関する本を読んだとしましょう。この本を読み終わった後、「素晴らしい女性のようだ。この人と結婚したい」と思ったとしましょう。ピッパが素晴らしい女性であると観念的に知的レベルで理解するのと、何年も結婚生活をしてから「彼女は素晴らしい女性だ」というのでは、大きな違いがあります。クリスチャンが「イエスは真理だと知っている」と言うとき、その人は、イエスが真理であると知っているだけではなく、真理であるイエスを体験しているのです。真理である方との関係が始まると、私たちの認識も変化してきます。そして、私たちをとりまく世界の真理を理解できるようになるのです。

暗闇の世界に輝く命

イエスは言われました。「わたしは･･･命である」。以前は罪悪感や中毒、恐れや死への思いでいっぱいであったとしても、イエスの内に命を見出すことができるのです。私たちは皆、神に似せて造られたというのは真実です。ですから、私たちは皆、内に気高いものを持っています。しかし、私たちは皆、堕落しているのです。生まれながらにして悪を行ってしまう傾向を持っています。すべての人間の中にある神の似姿は、罪によって多かれ少なかれ色あせてしまい、場合によっては抹消されてしまっていることもあるのです。すべての人間は、善と悪、強さと弱さを持っています。ロシアの作家、アレクサンドル・ソルジェニーツィンは「善と悪を分ける境界線は、国ではなく、階級でもなく、政治団体でもなく、一人ひとりの人間の心の中を貫いている」と言っています。

以前、私は自分を「良い」人間だと考えていました。なぜなら、銀行強盗も重大な犯罪も犯したことがなかったからです。イエス・キリストの生涯と比べてみて初めて、私は自分の人生が間違ったことだらけであったと気付いたのです。私だけでなく多くの人が同じような経験をしています。C.S.ルイスは次のように書いています。「生まれて初めて、私は真剣に実際的な目的を持って自分自身を吟味してみた。それを見て、ぞっとした。私の内側にあらゆる欲望が群がり、野望が渦巻き、恐れが蔓延し、憎悪がはびこっているのが分かったのだ。私の名こそレギオン（訳注：無数の悪霊の群れ）だったのだ」（＊5）。

私たちは皆、ゆるしを必要としています。キリストにあってのみ、そのゆるしを得ることができます。人文学者のマーガニータ・ラスキ女史は、あるクリスチャンとのテレビ討論番組で、驚くべき告白をしました。「クリスチャンを最もうらやましいと思うのは、あなた方が得ているゆるしです」。そしてやや感傷的に付け足しました。「私にはゆるしてくれる人がいないのです」。

イエス・キリストが私たちのために十字架にかかって成し遂げたのは、私たちのすべての過ちを償うことでした。第4章で更に詳しくこのことについて学んでいきます。私たちの罪を取り除くために、私たちを中毒や恐れや死から解放するために、イエスは死なれたということが分かるでしょう。イエスは、私たちの代わりに死なれたのです。

もしあなたや私が、この世界に生きるたった一人の人間だったとしても、イエス・キリストは、私たちの罪を取り除くために、私たちの代わりに死なれたことでしょう。私たちの罪が取り除かれるとき、新しい人生が始まるのです。

イエスは、私たちのために死なれただけではなく、死者の中からよみがえられたのです。これにより、イエスは死に打ち勝ったのです。良識のある人は、死が避けられない事実であると知っています。ところが、今日では死から逃れようと、奇妙な試みをする人もいるようです。英国国教会新聞に、そのような試みの記事が掲載されました。

> 1960年に死亡したカリフォルニアの百万長者のジェイムズ・マッギル氏は、死体を冷凍保存すること

を含む詳細な指示書を残した。彼を死に追いやった病気の治療法が科学者たちによっていつの日か発見されることを期待したのだ。南カリフォルニアには、体を冷凍保存することによって、将来、蘇ることを願っている人がたくさんいる。人体冷凍の最新の技術は、人間の頭だけを保存する神経停止法と呼ばれるものである。この方法に人気がある理由の一つは、全身を冷凍保存するよりはるかに安くすむからである。鼻を冷凍保存するウッディ・アレンの『スリーパー』という映画を思い出す（＊6）。

免れることのできない死を何とか免れようとする試みは、明らかにばかげているし、無駄なことです。イエスは私たちに「永遠の命」を与えるために来てくださいました。永遠の命とは、神とイエス・キリストとの関係の中に生きる（ヨハネ17:3）充実した人生です。しかし、イエスは決して楽な人生を約束されたわけではなく、豊かな人生を約束してくださったのです（ヨハネ10:10）。

この新しい充実した人生は、今から始まり、永遠に続くのです。私たちがこの地上で過ごす時間は短いのですが、永遠は無限の時間です。「わたしは･･･命である」と言われたイエスを通して、私たちはこの地上で充実した人生を送れるだけでなく、この素晴らしい命が永遠に終わることはないと確信することができるのです。

キリスト教は、退屈ではありません。充実した人生を送ることができるのです。キリスト教は偽りではありません。唯一の真理です。キリスト教は無関係ではありません。私たちの人生を変えてしまうものです。キリスト教の神学者で哲学者であるパウル･ティリッヒは、人間は常に三つの恐れを抱えていると言いました。無意味な存在になることへの恐れ、死への恐れ、そして罪悪感からくる恐れです。イエス･キリストは、これらの恐れに真っ向から立ち向かってくださいます。イエス･キリストは私たち一人ひとりに絶対に必要な存在なのです。なぜなら、イエスこそ「道であり、真理であり、命である」からです。

2

イエスとは？

中東の子どもたちのために働いていたある女性宣教師がジープを走らせていると、ガソリンがなくなってしまいました。車には予備のガソリンはありません。トランクには「おまる」があるだけでした。そこで、彼女は2キロほど先のガソリンスタンドまで歩いて行き、「おまる」をガソリンでいっぱいにしてきました。ガソリンを車に移しかえているとき、大変裕福な石油王たちを乗せた大きなキャデラックが通りかかりました。石油王たちは、「おまる」の中味を車のタンクに入れかえている彼女の姿に非常に驚き、興味をもちました。一人の石油王が車の窓を開けて、言いました。「失礼ですが･･･！ 私たちは、あなたとは別の宗教を信じていますが、あなたの信仰にはまったく感服しました！」

クリスチャンになるということが、おまるの通常の中味をガソリンの代わりに使えると信じ込むような、盲目的に何かを信じることだと思っている人もいます。もちろん信仰の第一歩を踏み出すことは必要です。しかしそれは、盲目的に信じるということではありません。歴史的証拠に基づいて一歩を踏み出すということなのです。この章では、いくつかの歴史的証拠について取り上げてみたいと思います。

共産主義時代のロシアの辞書には、「イエスは実在しなかった伝説上の人物」と書いてあると聞いたことがあります。今日の歴史家で、この説に同意する人はまずいないでしょう。イエスが実在したというあまりにも多くの証拠があるからです。それは、福音書やその他のキリスト教文献に限らず、キリスト教とは関係のない文献にもあります。例えば、古代ローマ時代の歴史家タキトゥスは直接、スエトニウスは間接的に、イエスについて言及しています。紀元37年に生まれたユダヤの歴史家であるヨセフスも、イエスとイエスの弟子たちについて次のように記しています。

> このころ、イエスという賢人がいた。彼を人と呼ぶことができるであろうか。彼は多くの素晴らしい奇跡を成し遂げたのだ。彼は、真理を喜んで受け入れる人びとの教師であり、多くのユダヤ人、また異邦人をも惹きつけていた。彼こそキリスト、救世主であった。ピラト（訳注：当時のユダヤの総督）が当時の役人たちの進言を聞き入れ、イエスを十字架刑に処すると決めたとき、イエスを愛していた人びとは、彼を見離さなかった。なぜなら、彼は三日後に蘇って姿を現したからである。これは、預言者たちが預言した通りであった。他にも預言者たちは、彼にまつわる多くの素晴らしい出来事を預言し、彼はそれを成就した。イエスを信じる人びとは、彼の名にちなんでクリスチャンと呼ばれ、今日でもその数は多い（＊7）。

このように、イエスの存在に関する証拠は新約聖書以外にもあります。更に、新約聖書にある証拠は、大変力強いものです。時には、「新約聖書はずっと昔に書かれたものなのに、長い年月の間に書きかえられなかったということがどうして分かるのだろう」と言う人がいます。

その答えは、本文（ほんもん）批評学を通して、私たちは、新約聖書の著者が何を記したかをはっきりと知ることができるということです。写本の数が多ければ多いほど、原典の信憑性は高くなります。

マンチェスター大学のライランズ聖書批評学及び解釈学教授であったF.F.ブルース教授は『新約聖書の内容は信頼できるか？』という本の中で、他の歴史書と比べて、新約聖書ははるかに多くの写本を証拠として持っていると述べています。

次の表は、事実をまとめ、新約聖書の証拠がどれほどあるかを示しています。

文献	原典の執筆年代	最古の写本	原典と写本の時間的隔たり	現存する写本の数
ヘロドトス	前 488〜428年	900年	1300年	8
ツキディデス	前 460〜400年	900年	1300年	8
タキトゥス	100年	1100年	1000年	20
カエサルのガリア戦記	前 58〜50年	900年	950年	9〜10
リウィウスのローマ建国史	前59年〜後17年	900年	900年	20
新約聖書	40〜100年	130年（全文 350年）	300年	ギリシャ語 5,000以上 ラテン語 10,000 その他 9,300

F.F.ブルースは、カエサルの『ガリア戦記』を例にとり、写本は9冊か10冊であり、そのうち最古のもの

はカエサルの時代から900年経って書かれたものであると言っています。リウィウスの『ローマ建国史』の写本は20冊もなく、その中で最も早い時代に書かれたものでも、紀元900年ごろであると言っています。タキトゥスの14巻からなる歴史書は、たった20冊の写本しか残っていません。同じくタキトゥスの『年代記』は16巻からなっていますが、これらの二大歴史書の内10巻は、たった2冊の写本をもとにしたもので、そのうちの1冊は、9世紀に書かれ、もう1冊は11世紀に書かれたものであることが分かっています。ツキディデスの歴史書は、そのほとんどが紀元900年に書かれた8冊の写本をもとにしたものであることが知られています。ヘロドトスの歴史書についても同様のことが言えます。しかし、原典と写本の間にかなりの時間的隔たりがあり、写本の数も比較的少ないにもかかわらず、これらの文献の信憑性を疑う古典学者は一人もいません。

新約聖書に関して言えば、多くの証拠があります。新約聖書は紀元40年から100年の間に書かれたと言われています。優れた数多くの新約聖書の完全写本は、紀元350年にすでに存在しており、これは原典が書かれてから300年しか経っていません。紀元3世紀にパピルスに記された新約聖書のほぼ全文の写本や、紀元130年ごろとされるヨハネによる福音書の写本の一部も見つかっています。初代教会の教父たちの書いたギリシヤ語の写本は5,000冊以上あり、ラテン語の写本は10,000冊以上、その他の言語による写本は9,300冊あり、36,000以上もの引用書があります。本文(ほんもん)批評学の権威の一人であるF.J.A.ホルトは、「様々な数多くの証拠に基づく新約聖書は、古代文書の中で、ただ唯一、絶対的な存在であると言える」(*8)。

F.F.ブルース教授は、これらの証拠をまとめるに際し、本文(ほんもん)批評の第一人者、フレデリック・ケニヨン卿の言葉を引用しています。

> 原典が書かれた年代と最古の写本の年代の隔たりが、これほど短くほとんど無いに等しいということは、新約聖書が当時書かれたまま私たちに伝えられているという事実を疑う根拠が、今や取り除かれたということである。新約聖書の確実性及び完全性は、ついに立証されたとみなしてよいだろう(*9)。

新約聖書、及び新約聖書以外の証拠からも、イエスが実在したことが分かります(*10)。では、イエスとはどのような人物でしょうか。マーティン・スコセッシ監督はテレビのインタビューで、イエスが本当の人間であることを示すために『キリスト最後の誘惑』という映画を作ったと言っていたのを聞いたことがあります。今日では、イエスが完全な人間であったということを疑う人はほとんどいないでしょう。イエスは、人間の肉体を持っていました。時には疲れを覚え(ヨハネ4:6)、空腹も感じました(マタイ4:2)。イエスは人間の感情も持っていました。怒り(マルコ11:15〜17)、愛し(マルコ10:21)、悲しみもしました(ヨハネ11:35)。人間としての経験もしました。誘惑を受け(マルコ1:13)、学び(ルカ2:52)、働き(マルコ6:3)、両親に従いました(ルカ2:51)。

今日、多くの人が、イエスは偉大な宗教指導者ではあったが、単なる人間であったと言います。コメディアンのビリー・コノリーが「キリスト教は信じられないけれど、イエスは素晴らしい人だったと思うよ」と多くの人の意見を代弁しています。

では、イエスが単なる素晴らしい人物、偉大な道徳的指導者以上の存在であったと言える根拠は何でしょうか。その答えは、これから見ていきますが、非常に多くの証拠があることです。これらの証拠が、イエスは、昔も今も神の独り子であるという、キリスト教の信仰を裏付けています。実にイエスこそが子なる神であり、三位一体の神の第二位格の方なのです。

イエスは自分について何と語っていますか

「イエスは、自分自身が神であると主張しなかった」と言う人がいます。確かにイエスは「わたしは神である」と言ってまわりはしませんでした。しかし、イエスが教え、語られたことすべてを見ると、イエス自身が神としてのアイデンティティを意識していたことを疑う余地はありません。

自分自身に関する教え

イエスに関する素晴らしいことの一つは、イエスの教えの多くがイエス自身に焦点があてられているということです。実際イエスは「神と関係を持ちたいのなら、わたしのところに来る必要がある」（ヨハネ14:6参照）と人びとに言っています。イエスとの関係を通してのみ、私たちは神に出会うことができるのです。

人間の心の奥底には飢え渇きがあります。20世紀を代表する心理学者たちは皆これに気づいていました。フロイトは「人は愛に飢えている」と言い、ユングは「人は安心感を求めている」と言い、アドラーは「人は存在の意義を求めている」と言っています。イエスは「わたしが命のパンである」（ヨハネ6:35）と言いました。言いかえれば、「その飢えを満たしたいのなら、わたしのところに来なさい」ということです。

多くの人が暗闇、憂鬱、幻滅そして絶望の中を歩いています。皆、自分の行くべき方向を探しているのです。イエスは言いました。「わたしは世の光である。わたしに従う者は暗闇の中を歩かず、命の光を持つ」（ヨハネ8:12)。ある人がクリスチャンになった後、私にこう言いました。「それは、まるで急に電気がついたようで、物事を初めて見ることができたかのようです」。

多くの人が死を恐れています。死ぬことを恐れて夜も眠れず、冷や汗でびっしょりになって夜中に起きてしまうことがあると、ある女性が私に話してくれました。死んだ後にどうなるか不安だというのです。イエスは言いました。「わたしは復活であり命である。わたしを信じる者は、死んでも生きる。生きていてわたしを信じる者はだれも、決して死ぬことはない」(ヨハネ11:25～26)。

非常に多くの人が心配や不安、恐れや罪悪感に悩まされています。「疲れた者、重荷を負う者は、だれでもわたしのもとに来なさい。休ませてあげよう」(マタイ11:28)。多くの人はどのように人生を生きたらよいか、だれについて行ったらよいのか分からないのです。クリスチャンになる前、私は、だれかから大きな影響を受けるとその人のようになりたいと思い、また別の人の影響を受けるとその人について行こうと思ったものです。イエスは言いました。「わたしについて来なさい」（マルコ1:17）。

イエスはまた、イエスを受け入れる者は神を受け入れ（マタイ10:40）、イエスを喜んで迎え入れる人は神を迎え入れ(マルコ9:37)、イエスを見た人は神を見たのである（ヨハネ14:9）と言いました。

お絵かきをしていたある子どもに、お母さんが尋ねました。

「何をしているの？」

子どもは答えました。

「神様の絵を描いているんだよ！」

お母さんは笑って言いました。

「何を言っているの。神様の絵なんて描けないわよ。
神様がどんな姿をしてるか、だれも知らないのよ。」

子どもは答えて言いました。

「じゃ、僕が絵を描き終わったら、神様がどんな人かみんなに分かるね！」

イエスは、「神がどのような方かを知りたいなら、わたしを見なさい」と言っているのです。

間接的な主張

イエスは、自分が神であると直接には言及しませんでしたが、神と同等の立場にあると意識していたことを示す様々なことを言われました。次にその例を見ていきましょう。

イエスが罪をゆるす権威をもっていると主張していることは、よく知られています。例えば、あるときイエスは中風の人に言いました。「子よ、あなたの罪は赦される」(マルコ2:5)。当時の宗教指導者たちの反応は辛辣でした。「なぜこの男は、罪を赦すなどと言っているのだろう。神を冒涜している。神お一人のほかに、いったいだれが、罪を赦すことができるだろうか」。イエスはこの中風の人をいやすことによって、罪をゆるす権威を持っていることを証明しました。罪をゆるすことができるという主張は、実に驚くべき主張です。

C.S.ルイスは、『キリスト教の世界』という著書の中で、これを次のように上手に表現しています。

> その人の言ったことの一端は、あまりしばしば聞かされてきたために、耳を素通りしてしまいがちです。罪を赦すということです。話す人が神でないとすれば、あまりにばかばかしいことです。人間が、自分に加えられた危害を赦し得ることを、われわれは知っています。あなたが私の足を踏みつけたならば、私は赦すでしょう。お金を盗んでも赦せます。でも、あなたが、他の人の足を踏んだり、お金を盗んだりしたときに、踏まれても、盗まれてもいない人が、あなたを赦すなどといったら、なんと考えるでしょうか。せいぜい、すこしおかしい、というところでしょう。だが、イエスは、それをなされたのです。実際に傷つけられたか問うまでもなく、イエスは、罪が赦されたと語りました。イエスはためらうことなく、すべての危害をこうむったそれぞれの

> ケースの該当者であるかのように振る舞ったのです。これが意味を持つのは、ただイエスが真に神であり、その規則が破られ、その愛が罪によって損なわれたということによってだけです。神でないものの口からこれらの言葉が出たとしたら、まったく歴史にその比をみない愚かな思い上がりにすぎないのでしょう（*11）。

イエスのもう一つの驚くべき主張は、イエスがこの世を裁く日が来る、というものです（マタイ25:31〜32）。イエスは、この世に戻ってくるときに「栄光の座につく」（31節）と言いました。すべての民がイエスの前に集められるのです。そこでイエスは裁きを下します。天地創造のときから用意されていた神の国と永遠の命を受け継ぐ人もいますが、神から永遠に断絶されるという罰を受ける人もいるというのです。

イエスは、この世の終わりに、私たち一人ひとりに何が起こるかを決定すると言います。イエスは裁く方であるというだけでなく、イエス自身が判定の基準であるというのです。裁きの日に私たちに何が起こるかは、この人生でどのようにイエスに応答したかによります（マタイ25:40、45）。もし、あなたの地域の教会の牧師が説教台に立って、「最後の審判の日に、あなたがたは皆、私の前に集まり、私があなたがたの永遠の運命を決定します。あなたがたの運命は、あなたがたが私や私の信奉者をどのように扱ったかにかかっています」と言ったと仮定します。単なる人間がこのような主張をしたとしたら、それは非常識なことです。ここでも、イエスが全能の神のアイデンティティを持つという、間接的な主張を見ることができます。

直接的な主張

「お前はほむべき方の子、メシアなのか」と質問されたとき、イエスは、「そうです。あなたたちは、人の子が全能の神の右に座り、天の雲に囲まれて来るのを見る」と答えました。大祭司は衣を引き裂きながら言いました。「これでもまだ証人が必要だろうか。諸君は冒涜の言葉を聞いた。どう考えるか」（マルコ14:61〜64）。この発言により、イエスは自分についてこの断言をしたために、死刑に定められたのです。なぜなら、自分は神であるという主張に相当する言葉は、ユダヤ人にとっては神への冒涜であり、死罪に値したからです。

ユダヤ人たちがイエスを石で打ち殺そうとしたときに、イエスは、「なぜ、石で打ち殺そうとするのか」と尋ねました。彼らはイエスが神を冒涜している、「あなたは、人間なのに、**自分を神としている**からだ」（ヨハネ10:33、強調筆者）と答えました。イエスに敵対心を持っていた人たちは、確かにイエスが自分は神であると主張しているとはっきり分かったのです。

イエスの弟子の一人トマスがイエスの前にひざまずいて「わたしの主、わたしの神よ」（ヨハネ20:28）と言ったとき、イエスは、「いや、いや、やめなさい。わたしは神ではない」とは言われませんでした。「わたしを見たから信じたのか。見ないのに信じる人は、幸いである」（ヨハネ20:29）と言い、なかなか気づかなかったトマスを、イエスは叱責したのです。

もし、だれかがこのような主張をしたとしたら、それらは十分に検証されなければなりません。この世には、様々な主張をする人がいるからです。自分はこういうものであると本人が主張したからといって、その主張が正しいとはいえません。本当に様々な思い違いをしている人がいます。精神病院の中にもいます。自分はナポレオンだとかローマ法王だと言う人もいますが、実際には違います。

では、どのようにして、これらの主張を検証することができるでしょうか。イエスは、自分は神の独り子であり、神が人となったのだと主張しました。論理的には三つの可能性があります。まずは、この主張が偽りである場合。偽りであると知ったうえで主張しているとすれば、イエスは詐欺師であり邪悪な者であるということになります。これが第一の可能性です。次に、この主張が偽りであり、イエス自身、これが偽りであると知らなかった場合。思い込みの主張、つまり精神異常である場合、これが第二の可能性です。第三の可能性は、この主張が真実である場合です。

C.S.ルイスは次のように書いています。「ただの人間が、イエスの語ったようなことを語ったとしたら、その人は、偉大な道徳の教師ではありません。頭のおかしい人でないとすれば地獄の悪魔でしょう。われわれは選択をしなければなりません。この人が神の子であるか、狂人あるいはもっと悪いものか、どちらかです。…だが、イエスが偉大な人間の師であるといったナンセンスには同調しないようにしましょう。そのことは示されませんでしたし、そうあろうともなさいませんでした」（＊12）。

イエスの語ったことを裏づける証拠は何ですか

これら三つの可能性の内どれが正しいものであるか

を判断するために、イエスの生涯に関する証拠を検証する必要があります。

イエスの教え

イエスの教えは、人の口から発せられた最も素晴らしい教えであるということは広く知られています。クリスチャンではない人も「山上の説教が大好きだ。これを座右の銘にしてるよ」と言います。(山上の説教を読めば、言うのは簡単だが行なうのは難しいことが分かるでしょう。しかし、彼らは、山上の説教が素晴らしい教えであるということは認めているのです)。

米国の神学校教授であるバーナード・ラム教授は、イエスの教えについて次のように言っています。

> イエスの教えは最も多く読まれ、引用され、愛され、信頼され、翻訳されてきた。なぜなら、それがこれまでに語られたものの中で、最も素晴らしいものだからである。この素晴らしさは、人間の胸の内に脈打つ最も深刻な問題を、明確に、的確にそして権威を持って取り扱う、純粋で生き生きとした霊性にある。他のだれの言葉も、イエスの教えの持つような心への訴えかけはない。なぜなら、人間のこうした基本的な疑問に、イエスが答えたようにはだれも答えられないからだ。イエスの教えは、神が与えてくれるであろうと私たちの期待している言葉であり、答えである(*13)。

イエスの教えは、西洋文明の土台となっています。英国の法律の多くは、元来イエスの教えに基づいています。今日、科学技術のすべての分野は日進月歩しています。

より早く移動することができ、より多くの情報を得ることができますが、この2000年の間に、だれもイエス・キリストの道徳的教えを改善した人はいないのです。このような教えが、邪悪な者や頭のおかしい者によって語られることはありえるでしょうか。

イエスの働き

イエスが行った奇跡自体が「父がわたしの内におられ、わたしが父の内にいる」（ヨハネ10:38）証拠であると、イエスは言っています。

イエスは、一緒にいると、最も驚くべき人物であったに違いありません。キリスト教は退屈だという人がいますが、イエスと一緒にいれば、決して退屈ではありませんでした。

イエスはパーティーに行ったとき、水をワインに変え（ヨハネ2:1～11）、一人分のお弁当を増やして何千人もの人に食事を与えたこともあります（マルコ6:30～44）。イエスは、自然界を支配でき、風や波に命じて嵐を静めたこともありました（マルコ4:35～41）。また、イエスは、驚くべきいやしを行いました。盲目の人の目を開き、耳の聞こえない人を聞こえるようにし、口のきけない人を話せるようにし、体が麻痺して歩けない人を、再び自分の足で歩けるようにしたのです。イエスが病院を訪ねたときには、もう38年も寝たままで起きることのできなかった男が、寝床をたたんで歩き出しました（ヨハネ5:1～9）。イエスは、悪の力で人生が縛られていた人びとを解放したのです。死んだ人を生き返らせることもしました（ヨハネ11:38～44）。

しかし、イエスの働きを非常に感動的なものにしたのは、イエスの行なった奇跡だけではありませんでした。それは、イエスの愛、特に愛に飢えている人たち(重い皮膚病を患っている人や娼婦)への愛でした。この愛こそがすべての行動の動機だったのです。イエスの私たちへの究極の愛は十字架の上で示されました。(次の章で見ていきますが、これこそイエスが地上に来られた主な目的でした)。人びとがイエスを拷問し十字架にはりつけにしたとき、イエスは「父よ、彼らをお赦しください。自分が何をしているのか知らないのです」(ルカ23:34)と言いました。こうしたことは明らかに、邪悪な者や思い違いをしている者がすることではありません。

イエスの人格

イエスの人格は、クリスチャンではない多くの人びとをも魅了してきました。例えば、バーナード・レビンは、イエスについて次のように言っています。

> 新約聖書の言葉の中にあるイエス・キリストの性質は、貫かれるべき魂を持つ人の魂を貫くのに充分ではないか。…イエスは、今日でも世界中に大きな影響を与え、そのメッセージは依然として明瞭で、彼の憐れみは未だに限りなく、その慰めは今でも心に触れ、その言葉は変わることなく栄光と知恵と愛とに満ちている(*14)。

イエスの人格を表している表現で、私が最も好きなものの一つは、元英国大法官であるヘイルシャム卿によるものです。彼は、自叙伝『私が開いた扉』の中で、大学生だったときに、イエスという人物がどのように生き生きと彼に迫ってきたかを記しています。

> イエスについてまず学ぶべきことは、私たちはイエスと共にいると、すっかり夢中になっていたであろうことである。イエスは、人間として非常に魅力的だ。･･･彼らが十字架につけた人物は、若くて活気に満ち、命とその喜びとに溢れた命の主そのものであり、それ以上に笑い声に囲まれた主であった。あまりにも魅力的な人物で、ただ楽しかったので、人びとは彼に従った。･･･20世紀に生きる人は、この栄光ある幸せな人物、一緒にいるだけで周囲の者を喜びで満たしてくれるこの人物を、もう一度把握しなおす必要がある。彼は弱々しいガリラヤ人ではなかった。それどころか、笑い声をあげたり、抱き上げられてきゃっきゃとはしゃぐ子どもたちに囲まれた、まぎれもなくハーメルンの笛吹きのような人物であったのだ（＊15）。

ここにいる人物こそ、自己憐憫ではなく究極の思いやりを、弱さではなく謙遜を、決して他人を犠牲にすることのない喜びを、甘やかしではなく親切を自ら示した人物なのです。敵でさえイエスには何の非も見出すことができなかったのです。彼を良く知る人は、イエスは罪がまったくなかったと言っています。このような人格の持ち主のことを、邪悪で精神的バランスを欠いた人間であるとは、だれも言わないでしょう。

イエスによって成就された旧約聖書の預言

神学的テーマについての著作が多い米国の作家、ウィルバー・スミスは次のように言っています。

> 古代社会には、占いのように、未来を予言するさま

ざまな方法があった。しかし、ギリシヤ全域とラテン文学においてはそうではなかった。彼らは「預言者」や「預言」という言葉を使ってはいたが、遠い未来に起こるある大きな歴史的出来事という特別な事柄に関する本当の預言があっただろうか。あるいは人類の救い主が現れるという預言が他にあっただろうか。…イスラム教には、マホメットの誕生を、その何百年も前に言及するような預言はない。この国のどの新興宗教にも、創始者の出現が古代の文書に具体的に正確に預言されているものはない（*16）。

しかし、イエスの場合には、300以上の預言（500年以上にわたって、様々な預言者によって語られた預言）が成就しました。その内の29の預言は、イエスの亡くなった日に、たった一日で成就されたのです。これらの預言の中には、その預言者の時代にある程度成就したものもあるかもしれません。しかし、その預言は、イエス・キリストにおいて究極の成就を見たのです。

イエスが賢い詐欺師で、自分が旧約聖書に預言された救世主だということを示すために、これらの預言を計画的に仕組んだという想定もできるかもしれません。

その場合の問題点は、まず、あまりにも預言の量が多く、それを一つひとつ果たすには、かなり無理があるということです。次に、人間的に考えて、多くの出来事はイエスのコントロールを超えていました。例えば、具体的にどのような形で死ぬかがすでに旧約聖書に預言されているのです（イザヤ53章）。どこに葬られるか、さらにはどこで生まれるかまで（ミカ5:2）預言されているのです。イエスがこれらの預言を成就したいと思っていた詐欺師だったとしても、生まれる予定だったその場所が分かったときには、それはすでに手遅れだったわけです！

イエスの復活

イエス・キリストがその肉体をもって死者の中から復活したこと、これがキリスト教の土台です。では、これが実際に起こった出来事であるという証拠は何でしょうか。その証拠を次の四つにまとめてみたいと思います。

1. イエスは墓にはいませんでした

イエスの死体が墓から消えていたという事実を説明するために、多くの仮説が立てられてきました。しかし、そのどれもがあまり説得力のないものでした。

まず、イエスは十字架上で本当は死ななかったという説があります。かつて英国の新聞トゥデイ紙に、「イエスは十字架で死ななかった」という見出しが載ったことがありました。トレバー・ロイド・デイヴィス博士は、イエスが十字架から降ろされたときにはまだ生きていて、後に回復したのだと主張しています。

イエスは、ローマのむち打ちの刑を受けました。多くの場合は、これで死んでしまいます。彼はそれから、十字架に6時間もはりつけにされました。このような状態で、墓をふさいでいた1トン半もあったであろう石を動かすことができたでしょうか。ローマの兵士たちは、彼が完全に死んでいたことを確認しました。そうでなければ、十字架から彼の体を降ろしたりはしなかったでしょう。囚人を逃したりしたら、兵士たちも死罪を受けなければならないからです。

さらには、兵士たちが、イエスが死んでいるのを確認したとき、「兵士の一人が槍でイエスのわき腹を刺した。すると、すぐ血と水とが流れ出た」(ヨハネ19:34)とあります。これは、血液が凝固して血清と分離したことを表す記述のようですが、これは、イエスが死んでいたという力強い医学的証拠です。ヨハネは医学的証拠を述べるためにこれを記述したわけではありません。彼にはそのような医学的知識はなかったでしょう。ですから尚のこと、ただ事実を記したこの記録が、イエスが実際に死んでいたという力強い証拠となるのです。

次に、イエスの弟子たちがその死体を盗んだのではないかという説もあります。弟子たちがその死体を盗み、イエスが死者の中から復活したといううわさを流したというのです。これは、墓が厳重に見張られていたという事実を差し引いたとしても、心理学的にありえないでしょう。弟子たちは、イエスが死んだとき、意気消沈し幻滅していました。使徒ペトロを、ペンテコステの日に説教し3000人もの人を改宗させる人物へと変化させるには、何か通常では考えられないほど大きな出来事が必要だったのではないでしょうか。

加えて、信じていることのためにどれほどの苦しみを受けなければならないか(むち打ち刑や拷問、時には死刑)を考えると、弟子たちが、偽りと分かっているもののために、これらの苦しみに耐える心構えができていたとは考えられません。ケンブリッジ大学にいた科学者の友人が、クリスチャンになりました。なぜなら、彼はこの証拠を検証し、弟子たちが、嘘だと分かっていることのために喜んで死ぬことはありえないと確信したからです。

三つ目に、当時の役人たちが死体を盗んだという説があります。これは、最もありえない説でしょう。もし役人たちが死体を盗んだのなら、なぜ、イエスが死者の中から復活したといううわさが流れたときに、うわさを静めるために死体を見せなかったのでしょうか。

イエスが墓から姿を消していたことに関する、最も魅力的な証拠は、イエスの亜麻布に関するヨハネの記述です。ある意味で「空の墓」というのは不適当な表現かもしれません。ペトロとヨハネが墓に行ったとき、彼らが見たものは、死体をくるむ亜麻布でした。キリスト教の弁証者ジョシュ・マクダウェルは、『復活の要因』の中で、墓に置かれた亜麻布を、まるで蝶が孵化した後の「サナギのぬけがら」のようだ（＊17）と言っています。それは、まるでイエスが亜麻布をすっと脱ぎ捨てたかのようでした。そしてもちろん、ヨハネは「見て、信じた」（ヨハネ20:8）のです。

2. イエスは弟子たちの前に姿を現しました

それらは幻覚だったのでしょうか。コンサイス・オックスフォード英語辞典によると、「幻覚」とは「実際には存在しない外的物体をはっきりと知覚すること」とあります。幻覚は、通常、極度に緊張し、非常に想像力に富み、極端に神経質な人間か、病気や麻薬の影響を受けている人間に現れるといいます。弟子たちは、これらのどれにもあてはまりません。多くの弟子たちのように無骨な漁師や、徴税人や、トマスのように疑い深い人間が、幻覚を見るとは思えません。幻覚を見る人間が、突然見なくなるということも考えられません。イエスは弟子たちの前に、6週間の間に11回も現れました。何度も姿を現したこと、また突然それが止んだことからも、これが幻覚であったということは考えられません。
さらに、500人以上の人が復活したイエスを見ました。一人の人が幻覚を見るということは考えられるでしょう。二人か三人が同じ幻覚を見るということも、もしかしたら、あるかもしれません。しかし、500人もの人が同じ幻覚を見るということがあるでしょうか。
最後に、幻覚とは主観的な現象です。客観的な現実性はありません。幽霊を見ているようなものです。イエスは、触ることができる肉体を持ち、焼いた魚も食べました（ルカ24:42～43）。また、弟子たちのために朝食を用意しました（ヨハネ21:1～14）。ペトロは「イエスが死者の中から復活した後、御一緒に食事をした」（使徒10:41）と言っています。イエスは弟子たちと長い間会話をし、神の国について多くのことを彼らに教えました（使徒1:3）。

3. その時代への影響

イエスが死者の中から復活したという事実は、劇的な変化をこの世界にもたらしました。教会が生まれ、急激な勢いで広まっていったのです。多くの一般向きの学術書を書いているマイケル・グリーンは、次のように言っています。

> ひとにぎりの教養のない漁師と徴税人によって始められた教会は、その後の300年の間に世界各国に広まった。これは世界の歴史の中でも他に類を見ない、驚くべき真の平和的革命の物語である。「イエスはあなたのために死んだだけではありません！　今も生きているのです！　あなたは彼に会うことができます。私たちが話しているこのことが現実であ

るということを見ることができるのです！」と、クリスチャンが質問をする人に対して答えることによって、キリスト教は広まっていった。質問をした人たちもイエスに出会って教会に加わり、あの復活の墓から始まった教会は、いたる所へと広がっていった（＊18）。

4. クリスチャンの体験

これまでに、数え切れないほど多くの人びとが、復活したイエス・キリストを体験してきました。あらゆる肌の色、人種、民族、国民が、イエスを体験してきました。彼らは、経済的、社会的、知的にも様々な背景を持った人びとです。しかしながら、彼らは皆、復活のイエス・キリストという共通の体験によって、結ばれているのです。

英国の救世軍の指導者であるウィルソン・カーライルがハイド・パーク・コーナー（訳注：ロンドン西部の公園の一角で、日曜日にはだれでも自由に演説できる）で説教していました。「イエスは今日も生きておられます！」と彼が語っていると、やじを飛ばしていた一人の男が「なぜ、そんなことが分かるんだ！」と叫びました。それに答えてウィルソン・カーライルは「今朝、私はイエスと30分間話をしてきたからです！」と言いました。

世界中の何百万人というクリスチャンは、今日も復活したイエス・キリストとの関係を経験しています。私もこの18年間以上の経験で、イエス・キリストが今日も生きておられることが分かったのです。イエスの愛、イエスの力、そしてイエスが今日も本当に生きているという確信を与えるイエスとの関係を、私は体験してきたのです。

イエスが死者の中から復活したという証拠は、大変多岐にわたります。英国の前司法長官であるダーリング卿は「生ける真実として、このように圧倒的な証拠があり、それらが肯定的であり、かつ否定的でもあり、また事実と状況どちらにも基づいているので、世界中の知的な陪審員は、この復活の物語が真実であるという評決をくださざるをえない」（＊19）と言いました。

この章の初めで、イエスが自分自身について何と語っているかを見てきましたが、たった三つの現実的な可能性しかないということが分かりました。イエスが昔も今も神の子であるか、あるいは狂人か、または更に邪悪な者であるか、という三つの可能性です。イエスの教え、働き、人格、旧約聖書の預言の成就、そして死に対する勝利を見てみると、イエスが狂人あるいは邪悪な者であったという仮説は、ばかげていて非論理的で、ありえないことのように思えます。一方、これはイエスが自ら神としてのアイデンティティを持っていると意識していたことを支える、力強い証拠なのです。

C.S.ルイスは、次のように言っています。「われわれは、したがって、おそるべき二者択一に直面しているわけです」。イエスが自分で語っているような方であるのか、あるいは気のふれた人、あるいはもっと悪い者であるかどうかです。C.S.ルイスにとっては、イエスが気のふれた人ではなく、悪魔でもないことは明らかなようでした。彼は次のようにまとめています。「どんなに奇妙であり、おそるべきことであり、ありえないことのように見えても、私は、その人が神であり、神であったという見解を受け入れざるをえません」（＊20）。

3

イエスの死とは？

今日では、多くの人が十字架のイヤリングやブレスレットやネックレスをして街を歩いています。すっかり見慣れているので、これにショックを受けることはありません。しかし、誰かが絞首台や電気椅子を首にかけていたらびっくりするでしょう。十字架は、まさにこれらと同じ死刑の道具です。十字架刑は、人類史上最も残酷な処刑法の一つでした。紀元315年に十字架刑は廃止されました。当時のローマ帝国でさえこれを非人道的だと考えたのです。

しかし、十字架はキリスト教のシンボルとなっています。福音書の大部分は、イエスの死についての記述です。新約聖書の残りの部分は、ほとんどが十字架上の出来事についての説明です。教会の礼拝の大切な儀式である聖餐式は、イエスの引き裂かれた体と流された血を中心としたものです。教会の建物も、しばしば十字架の形をもとにして建てられています。使徒パウロはコリントに行ったとき、「わたしはあなたがたの間で、イエス・キリスト、それも十字架につけられたキリスト以外、何も知るまいと心に決めていたからです」（Ⅰコリント2:2）と言いました。国民に影響を与えたり、世界を大きく変えたりした指導者たちの多くは、その生き方によって覚えられています。イエスは他のどんな人よりも大きく世界の歴史を変えましたが、イエスの場合はその生き方よりも死によって覚えられているのです。
なぜイエスの死に、そんなにも焦点があてられるのでしょうか。イエスの死は、ソクラテスや殉教者や戦争の英雄たちの死と何が違うのでしょうか。イエスの死によって、何が成し遂げられたのでしょうか。新約聖書が、イエスは「私たちの罪のために」死んだと言うときに、何を意味しているのでしょうか。なぜイエスは死んだのでしょうか。これらの質問に対する答えは、ひと言で言えば「神はあなたを愛しているから」です。聖アウグスチヌスは、「聖書全体は、神の愛を伝える以外には何もしていない」と言っています。ラニエロ・カンタラメッサ神父は、「神の愛は、聖書の中にあるすべての『なぜ？』という質問に対する答えである」と言っています（＊22)。「神は世を愛された」ので、その独り子をお与えになりました。それは、その独り子が私たちのために死ぬことによって、「独り子を信じる者が一人も滅びないで、永遠の命を得るためである」（ヨハネ3:16）のです。

私たちの抱える問題

時々、「私にはキリスト教はいらないよ」と言う人がいます。「私は充分幸せで、私の人生は満たされている。周りの人にも親切にするよう心がけているし、いい人生を送っているよ」という意味で言っているのでしょう。イエスが死んだ理由を理解するためには、すべての人びとが直面する最も大きな問題に目を向けなければなりません。
正直になれば、私たちはだれでも、間違っていると分かっていることをしてしまうことがあると認めなければなりません。「人は皆、罪を犯して神の栄光を受けられなくなっています」（ローマ3:23）とパウロは言っています。言いかえれば、私たちは皆、神の基準には、とても達することはできないのです。自分自身を、武装した強盗や幼児虐待者、あるいは近所の人と比べると、自分は、かなりいい線いっていると思うでしょう。しかし、自分自身をイエス・キリストと比べたら、私たちははるかに劣っていることが分かるでしょう。サマセット・モームは、かつて次のように言いました。「私が今までに考えたことや実際に行った行為をすべて書き出したら、人は私を堕落した怪物だと言うだろう」。

これらの罪の根源は、神に対する反抗にあります。神がいないかのように振る舞う（創世記3章）神を無視した態度、そしてその結果、私たちは神から切り離されてしまうのです。放蕩息子（ルカ15章）のように、私たちは自分が「父」の家から遠く離れ、人生がめちゃくちゃになっていることに気づくのです。「皆も同じ運命なのだから、別にいいじゃないか」と言う人が時々います。しかし、そうではありません。なぜなら、人生における罪の結果として、次のような四つの事柄が引き起こされるからです。

罪の汚れ

イエスは「人から出て来るものこそ、人を**汚す**。中から、つまり人間の心から、悪い思いが出て来るからである。みだらな行い、盗み、殺意、姦淫、貪欲、悪意、詐欺、好色、ねたみ、悪口、傲慢、無分別など。これらの悪はみな中から出て来て、人を**汚す**のである」（マルコ7:20～23、強調筆者）と言いました。これらのことは、私たちの人生を汚します。

「こうしたことは、ほとんどやっていない」と言うかもしれません。しかし、このうちの一つだけでも、あなたの人生をめちゃくちゃにするのに充分なのです。十戒が試験問題のようなもので、「どれか三つ正解」なら合格というものだといいのにと思うかもしれません。新約聖書には、一つの律法を破ったら、すべてを破ったとして有罪になると書いてあります(ヤコブ2:10)。例えば、「まぁまぁ、無事故無違反に近い」免許証を持つことはできません。無事故無違反か、そうでないかです。たった一度でも違反をしたら、無事故無違反の免許証ではなくなるのです。私たちも同様です。たった一つの罪が、私たちの人生を汚してしまうのです。

罪の力

私たちが間違いを犯す事柄には、それを習慣にさせる力があります。イエスは「罪を犯す者はだれでも罪の奴隷である」(ヨハネ8:34)と言っています。これは、他の人のことよりも自分自身の間違った行いを見た方が分かりやすいかもしれません。例えば、ヘロインのような強い麻薬を使うとすぐに中毒になることは、よく知られています。

不機嫌や妬み、傲慢や自惚れや自己中心、中傷や悪口や淫らな行いも、中毒になる可能性があるのです。私たちの思いや行為のパターンは習慣になり、自分ではやめられないのです。これがイエスの言われた「奴隷」の状態で、これこそ私たちの人生に破壊的な力を持つのです。

リバプール教会のJ.C.ライル前主教は、かつて次のように記しました。

　一つひとつの罪、そしてすべての罪が、不幸せな囚人たちの手足を罪の鎖で縛り上げています。･･･あわれな囚人たちは、･･･時には自分たちはまったく自由だと豪語しますが、･･･これほどの奴隷状態は他にありません。罪は、本当に最も厳しい主人です。みじめさと失望の道をたどらせ、しまいには絶望と地獄へと叩き落す、これこそ、罪がその奴隷たちに支払う唯一の報酬です（＊23）。

罪に対する罰

　人間には本来正義を求める本性があります。子どもがいたずらされたり、老人が家で襲われたり、赤ん坊が虐待されたと聞くと、犯人が捕まって罰を受ければいいと心から願います。この思いには復讐の心も入り混じっているかもしれません。しかし、正当な怒りというのもあるのです。私たちが、これらの罪は罰せられるべきで、このような罪を犯す人を決して野放しにしてはいけないと思うのは当然です。

　他の人たちの罪だけが罰を受けるべきかというと、そうではありません。自分自身の罪も同じです。ある日、私たちは皆、神の裁きを受けるのです。「罪が支払う報酬は死です」（ローマ6:23）と、パウロは言っています。

罪による神との隔て

　パウロの言う「死」とは、肉体的な死だけを意味しているのではありません。それは、神と永遠に引き離されることになる霊的な死という意味です。神と切り離された状態は、もう始まっているのです。預言者イザヤは次のように宣言しています。「主の手が短くて救えないのではない。主の耳が鈍くて聞こえないのでもない。むしろお前たちの悪が神とお前たちとの間を隔て、お前たちの罪が神の御顔を隠させ、おまえたちに耳を傾けられるのを妨げているのだ」(イザヤ59:1〜2)。私たちの間違った行いが、この障壁を作っているのです。

神による解決

私たちは皆、自分の罪の問題と向き合わなければなりません。私たちが、自分の必要性の理解を深めるほど、神がしてくださったことに対してますます感謝するようになります。英国の大法官クラッシュファーン・マッケイ卿は次のように記しています。「私たちの信仰の中心にあるのは、私たちの主であるイエス・キリストが、私たちの罪のために十字架の上で自ら犠牲になられたことです。･･･自分自身の必要性を深く知れば知るほど、主イエスへの愛は深まります。それゆえ、イエスに仕えたいという思いはますます熱くなるのです」(＊24)。キリスト教の良い知らせとは、神は私たちを愛しておられ、私たちがめちゃくちゃにしてしまった人生を、そのままにはしておかれなかったということです。神は、御子イエスという方として地上に来られ、私たちの代わりに死なれました(Ⅱコリント5:21、ガラテヤ3:13)。これは、「神自身の身代わり」(＊25)と呼ばれています。これをペトロは「そして、十字架にかかって、自ら**その身にわたしたちの**罪を担ってくださいました。･･･その**お受けになった傷によって、**あなたがたはいやされました」

（Ｉペトロ2:24、強調筆者）と言っています。

1941年7月の最後の日、アウシュビッツ収容所のサイレンが鳴り響きました。一人の囚人が逃亡したのです。その報復として、逃亡した囚人と同室の10人が殺されることになりました。その処刑方法は、特別に作られた地下壕の中に生きたまま埋め、ゆっくりじわじわと餓死させるというものでした。

ドイツ軍の指揮官とゲシュタポが列の間を歩きながら無作為に処刑される10人を選んでいる間、男たちは炎天下、一日中立たされ飢えと恐怖で怯えながら、待っていました。指揮官がフランチシェク・ガイオニチェクという男を選んだとき、彼は絶望にうちひしがれ叫びました。「あぁ、かわいそうな妻よ、子どもたちよ！」そのとき、落ち窪んだ目に銀ぶちの丸いメガネをかけた、さえない風貌の男が列から進み出て帽子をとりました。

「何の用だ。ポーランドのブタめ！」と指揮官が言いました。

「私はカトリックの司祭です。私がこの人の代わりに死にたいと思います。私はもう年をとっています。彼には妻や子どもがいる…。私には妻も子どももおりません」。マキシミリアノ・コルベ神父でした。

「許可する！」と指揮官は答え、次に進んでいきました。

その夜、9人の男と一人の司祭が飢餓刑の行われる地下壕に入っていきました。通常、地下壕に入れられた者は、食肉人種のようにお互いの体を引き裂きあいます。しかし、このときは違いました。体力のあるうちは、床に裸で横たわった男たちは、祈り、賛美歌を歌いました。2週間が過ぎても、マキシミリアノ神父と3人の男はまだ生きていました。この地下壕が次の刑執行のために必要となり、8月14日、残っていた4人は殺さることになりました。飢餓刑のための地下壕に入れられてから2週間後、まだ意識のあったポーランドの司祭は、フェノールを打たれ、12時50分に47年の生涯を閉じました。

1982年10月10日、ローマの聖ペトロ広場で、マキシミリアノ神父の死は荘厳に記念され、ふさわしい尊敬を受けました。15万人の参列者の中には、フランチシェク·ガイオニチェクの姿もありました。この一人の人の命によって、実に多くの人が救われたのです。マキシミリアノ神父の死を述懐して、ローマ教皇は次のように述べました。「これは、人間の内にある一切の軽蔑と憎しみに打ち勝った勝利 — 私たちの主イエス·キリストが勝ち取られたごとき勝利でした」(*26)。

イエスの死は、実際に、これよりもさらに驚くべきものでした。イエスはたった一人の人のためだけではなく、世界中の一人ひとりのために死なれたからです。

イエスは私たちの身代わりとなるために来られました。イエスは、私たちのために十字架刑を耐え忍んだのです。キケロは十字架刑を、「拷問の中で最も残酷で忌まわしいもの」と描写しています。イエスは裸にされ、むち打ちのために柱にくくりつけられました。イエスは、鋭いギザギザの骨と鉛の鋲がついた4、5本の革の鞭でむち打たれました。3世紀の教会歴史学者であるエウセビオスは、ローマ帝国のむち打ち刑を、「受刑者の血管が露出し、···筋肉や筋や内臓がむき出しになる」と描写しています。イエスは鞭で打たれた後、ローマの執政官官邸に連れて行かれ、頭に茨の冠を無理やりかぶせられました。約600人もの兵隊にあざけられ、顔や頭を殴られました。それから十字架の横木を血が流れている肩に担ぎ、倒れるまで運ばされました。シモンというキレネ人が、強制的に十字架をイエスの代わりに運ばされたのです。

十字架を立てる処刑の現場に到着すると、イエスは裸にされました。十字架の上に横たえられ、両手首のつけねに長さ15センチの釘が打ち込まれました。イエスの膝は横にねじられ、頚骨とアキレス腱の間にも釘が打ち込まれました。イエスがはりつけられた十字架は地面から起こされ、地面に掘ってあった穴に垂直に落とされました。イエスは十字架につけられたまま、強烈な暑さと耐えがたいほどの喉の渇きに苦しみながら、群集の笑い者にされました。想像しがたいほどの痛みの中6時間が経過し、イエスはゆっくりと死んでいったのです。

しかしイエスの受けた最大の苦しみは、拷問による肉体的な外傷や十字架につけられた痛みではなく、世の人びとから拒否され、友人から見捨てられたことによる感情的な痛みでもなく、私たちのために罪を背負われたときに、父なる神から切り離されたという霊的な苦悩でした。

イエスの勝利は完全なものでした。イエスはたった一人の人のために死んだだけではなく、私たち皆のために、一人ひとりのために死なれたのです。これはイエスにとっても大変な苦痛を伴うことでした。四つの福音書すべてに、ゲッセマネの園で、一人、天の父に叫ぶイエスの苦悩が記されています。「アッバ、父よ･･･この杯を私から取りのけてください。しかし、わたしが願うことではなく、御心に適うことが行われますように」（マルコ14:36）。

教皇の専任説教師であるラニエロ・カンタラメッサ神父は、『キリストを主として生きる』（“Life in the Lordship of Christ" シード＆ワード社、1989年）で、次のように述べています。

> 聖書の中で杯のイメージは、ほとんどいつでも、罪に対する神の激しい怒りという思いを呼び起こします。･･･罪のあるところではどこでも、神の裁きはそれに集中せざるをえません。さもなければ、神は罪と妥協されることになり、善と悪の区別そのものがもはや存在しなくなってしまうでしょう。さて、いまや、ゲッセマネの園のイエスは･･･「罪とされた」人間なのです。キリストは、「罪びとたちのために」死なれた、と書かれています。つまり、彼らの立場で死なれたのであって、単に彼らに好意をよせて、というだけではありません。･･･それゆえ、彼はすべての人のために「責任を負っている」のであり、神の御前で有罪者なのです！　まさに彼に対して、神の怒りが「啓示され」ているのであり、これこそが「苦杯を飲む」ということの意味なのです。

十字架の結果

美しいダイヤモンドのように、十字架には多くの面があります。十字架の上で、悪の力は「武装を解除」されました(コロサイ2:15)。死の力と悪霊の力は打ち破られました。十字架の上で、神は私たちへの愛を明らかにされました。神は、私たちの苦しみに無関心な方ではないのです。この神こそ、ドイツの神学者ユルゲン・モルトマンの著書にあるように「十字架につけられた神」なのです。神は私たちの世界に来てくださり、すべての苦難について理解してくださっているのです。十字架の上でイエスは、自己犠牲の愛の模範を残してくださいました

（Ｉペトロ2:21）。イエスが十字架上で成されたことについては、多くの側面があり、それぞれに一章をさいても書ききれません。ここでは特に、イエスが十字架上で私たちのためにしてくださったことを表すために、新約聖書で使われている四つの情景を見ていきたいと思います（＊27）。ラングハム・プレイスのオール・ソウルズ教会名誉牧師であり、多くの著作を持つジョン・ストット牧師は、これら四つの情景は日常生活の中の異なった分野から取り上げられていると指摘しています。

最初の情景は、「神殿」です。旧約聖書には、罪にどのように対処するべきかが、律法によって大変細かく決められていました。罪の重さによって、それを清めるための献げものに関する制度が決まっていたのです。

一般的には、罪を犯した人は動物を献げました。動物は傷のないできるだけ完全に近いものである必要がありました。罪を犯した人はその動物の上に手を置いて、罪を告白したのです。このようにして、罪は動物に移されたとみなされ、それからその動物は殺されたのでした。

「ヘブライ人への手紙」の筆者は、「雄牛や雄山羊の血は、罪を取り除くことはできない」（ヘブライ10:4）と指摘しています。それは単に、後に来る方の「影」（ヘブライ10:1）に過ぎません。この「影」の実体は、イエスの犠牲と共に現れました。私たちの身代わりとなったイエスの血のみが唯一、罪を取り除くことができるのです。なぜなら、イエスだけが罪のない完全な人生を送ったので、完全な犠牲となりえたからです。イエスの血は私たちをすべての罪から清め（Ｉヨハネ1:7）、**罪の汚れ**を取り除くのです。

二つ目の情景は「市場」を舞台とします。借金は現代社会に限らず、古代社会でも大きな問題でした。大きな借金を抱えていた人は、借金を返すために奴隷として売られることもありました。市場に、奴隷として売られるために立っている人がいたとしましょう。かわいそうに思った人が「借金はいくらですか」と彼に尋ねました。彼が「一万です」と答えると、その人は一万を支払って彼を解放したとします。ここで、この人は借金を抱えた人の「身代金」を支払い、「彼を買い戻した」ことになります。これを「贖い」と言います。

これと同様に、私たちにも「イエス・キリストによる贖いの業」が与えられました（ローマ3:24）。イエスは、十字架の上での死を通して、身代金を支払ってくださったのです（マルコ10:45）。このようにして、私たちは罪の力から解放されたのです。これこそが、本当の解放です。イエスは言われました。「だから、もし子があなたたちを自由にすれば、あなたたちは本当に自由になる」（ヨハネ8:36）。これは、私たちがもう二度と罪を犯さないという意味ではありません。私たちを縛る罪の力が打ち破られたという意味なのです。

ビリー・ノーランは35年間アルコール依存症でした。彼は20年間も、ホーリー・トリニティ・ブロンプトン教会の外に座って、酒を飲み、乞食をしていました。1990年5月13日、彼は鏡を見てつぶやきました。「これは、俺の知っているビリー・ノーランじゃない」。彼の言葉を借りれば、彼は主イエス・キリストに自分の人生に入って来てくれるように頼み、もう二度と酒は飲まないとイエスに誓ったということです。彼はそれ以来、一滴もお酒を飲んでいません。彼の人生は一変したのです。彼はイエスの愛と喜びに溢れています。私はビリーにこう言ったことがあります。「ビリー、幸せそうだね」。彼は答えて言いました。「僕は自由になったから幸せです。

人生は迷路のようだけど、イエス様を通してついに出口を見つけたんです」。十字架上でのイエスの死こそが、「罪の力」からビリーを解放したのです。

三つ目の情景は「法廷」です。パウロは、イエスの死によって「わたしたちは･･･義とされた」(ローマ5:1）と言っています。「義認」とは法廷で使われる専門用語です。法廷で無罪であると認められることは、「義認される」ことです。次のたとえ話が、このことを私が理解するためにとても役に立ちました。

ある二人の男性が、大学までずっと一緒に学生生活を送りました。二人は親友でした。大学を卒業した後、二人はそれぞれの道を歩み、連絡もいつしか途絶えました。一人は裁判官になりましたが、もう一人は落ちぶれた生活を送り、ついには犯罪者として逮捕されてしまいました。ある日、この男が、その裁判官の前に犯罪者として姿を現しました。彼は、有罪と自分でも認める罪を犯していたのです。裁判官はそれが昔の親友であることに気づき、悩みました。彼は裁判官ですから正義を行わねばならず、旧友を放免するわけにはいきません。しかし、旧友を罰したくもありませんでした。なぜなら、その友を深く愛していたからです。そこで彼は、罪に相応する罰金を課すと旧友に宣告しました。これが正義です。それから、彼は裁判官の席を降り、罰金と同額の小切手を切りました。この小切手を旧友に渡し、自分が彼のために罰金を支払うと言いました。これが愛です。

これは、神が私たちのために、何をしてくださったかを表しています。神は、その正義によって私たちを裁きます。なぜなら私たちは有罪だからです。しかしそれから、愛のうちに、神は独り子イエス･キリストという方としてこの世に来られ、私たちのために罰金を支払ってくださいました。神は、「義」です。ですから、神は罪を罰さないではいません。しかし、同時にローマの信徒への手紙3章26節にあるように「義とすることのできる方」でもあるのです。独り子によって神ご自身が罪を負うことにより、私たちは解放されたのです。神は私たちの裁判官であり、救い主でもあるのです。私たちを救うのは、無罪の第三者ではなく、神ご自身なのです。つまり、神は私たちに小切手を手渡し、選択は私たちの自由に任されているのです。私たちの代わりに神に支払っていただくか、自分自身の罪に対する神の裁きを自分で受けるかの選択です。

この法廷の場面は三つの点で完全とはいえません。まず、私たちはもっとひどい状態にいます。私たちに課せられる罰は、罰金ではなく死刑なのです。次に、裁判官との関係はもっと親密です。単なる二人の親友という関係ではありません。地上の親が子どもを愛するよりも、もっと深く私たちを愛してくださる天の父との関係なのです。三つ目に、代価ははるかに大きいものでした。お金ではなく神ご自身、神の独り子が、罪に対する罰金として支払われたのです。

四つ目の情景は、「家庭」です。神との関係の崩壊は、罪の原因であり結果でもあることを、すでに見てきました。十字架により、神との壊れた関係は回復する可能性が与えられたのです。パウロは「**神はキリストによって**世と御自分と和解させ」（Ⅱコリント5:19、強調筆者）たと言っています。新約聖書の教えを風刺して、神は、無実であるイエスを私たちの代わりに罰したのだから不正であると言う人がいます。しかし、これは新約聖書が教えていることではありません。パウロは「神はキリストによって」と言っています。神ご自身が、御子によって身代わりとなられたのです。神は、私たちが神との関係を回復できるようにしてくださいました。罪による隔ては、取り除かれたのです。放蕩息子に起こったことは、私たちにも起こるのです。私たちは、「父」のもとに帰り、「父」の愛と祝福を体験することができるのです。この関係は、この地上で終わるものではなく永遠に続くものです。やがて、私たちは天国で御父と共にいることができるようになります。そこでは、私たちは、罪に対する罰や、罪の力や、罪の汚れから完全に自由になるだけではなく、罪の存在そのものからも解放されるのです。これこそ、神ご自身が十字架上で身代わりとなられたことを通して、可能にしてくださったことなのです。

神は、私たち一人ひとりを大変愛しておられるので、親が子どもたちと関係を持ちたいと願うように、私たちと関係を持ちたいと切望しておられます。イエスが死なれたのは皆のためというだけではありません。イエスは、あなたのために、そして私のために死なれたのです。これは、とても個人的なことなのです。パウロは「わたしを愛し、わたしのために身を献げられた神の子」（ガラテヤ2:20）と書いています。たとえあなたが、この地上でたった一人の人間だったとしても、イエスはあなたのために死んでくださったことでしょう。十字架をこのように個人的にとらえるとき、私たちの人生は大きく変えられるのです。

アメリカの、牧師であり教会リーダーであるジョン・ウィンバーは、十字架が個人的な現実として、どのように彼に迫ってきたかを、次のように記しています。

> 聖書について･･･３ヶ月ほど勉強した後、十字架についての初歩的なテストに合格できそうでした。三位一体の神が唯一の神であるということを理解しました。イエスが完全に神であると同時に完全に人間でもあり、この世の罪のために十字架にかかったということも理解しました。ですが、私自身が罪びとであるということは、理解できませんでした。自分はいい人だと思っていました。確かに大変な状況ではありましたが、自分の状況がそれほど深刻であるとは気づいてもいませんでした。
>
> ある晩、妻のキャロルが「そろそろ、学んできたことについて、何かしないといけないんじゃないかしら」と言いました。そして私が驚いて見ている前で、彼女は床にひざまずき、天井のしっくいとしか見えないものに向かって祈り始めたのです。「神様、私の罪をゆるしてください」と彼女は言っています。
>
> 信じられませんでした。キャロルは、私よりもずっといい人なのに、自分を罪びとだと思っているのです。彼女の痛みが感じられ、この祈りが深いものであることが分かりました。まもなく、彼女は涙を流し始め、「私の罪をゆるしてください」と繰り返し言いました。6、7人が部屋にいました。皆、目を閉じていました。彼らを見回して、はっと気づいた

のです。彼らも皆、この祈りをしたんだ！　汗が吹き出ました。死ぬのではないかと思いました。汗が額から流れ、私は思いました。

「絶対にやらないぞ。ばかげている。自分はいい人間なんだから」と。そのときです。突然に分かったのです。キャロルが祈っていたのは、天井のしっくいに向かってではなかったのです。彼女は、祈りの声を聞いてくださる神に向かって祈っていたのです。神に比べれば、彼女はゆるしが必要な罪びとであることが、彼女には分かったのです。

その瞬間、十字架が個人的な意味を持って私に迫ってきました。突然、それまで分からなかったことが分かるようになりました。私は、神様の心を傷つけていたのです。神様は私を愛してくださり、その愛ゆえに、私のためにイエス様を送ってくださったのです。なのに、私はその愛に背を向けていたのです。今までずっとそれを避けようとしてきたのです。私は罪びとだったのです。十字架によるゆるしが本当に必要だったのです。

私も床にひざまずき、すすり泣いていました。鼻水は出るし、目から涙が溢れ出て、体中ひどく汗をかいていました。今までの人生でずっと私と共にいてくださったのに、私は気づいていなかったのです。今、まさにその方と話しているのだという圧倒されるような感覚がありました。キャロルと同じように、私も生きている神と話し始めていました。自分は罪びとであるということを伝えたかったのですが、口から出てきた言葉は、「おお、神様･･･、おお、神様･･･」だけでした。

何か革命的なことが、私の中で起こっていることが分かりました。「うまくいけばいいのだが。そうでなければ、馬鹿みたいだ」。そう思いました。そのとき、主は、何年も前にロサンゼルスのパーシング・スクエアで見かけたある男のことを思い出させてくれました。その男が着ていたＴシャツには「俺はキリスト馬鹿。おまえはだれの馬鹿？」と書いてありました。そのときは、「なんてばかげたことだ」と思いましたが、今、床にひざまずいて、このＴシャツのメッセージの真理を悟ったのです。十字架は「滅んでいく者にとっては愚かなもの」（Ⅰコリント1:18）なのです。その晩、私は十字架の前にひざまずいてイエス様を信じました。それ以来、ずっと私はキリスト馬鹿です（＊28）。

4

確かに信じるには？

18歳。色々な意味で、人生は最高です。私は大学一年の半ば。毎日は楽しく、人生のありとあらゆる可能性が目の前に開かれているようでした。キリスト教にはまったく興味がありませんでした。いえ、むしろ反感を持っていました。もしクリスチャンになったら、人生はとてもつまらないものになってしまうだろうと思っていたのです。神はすべての楽しみをやめるように言い、退屈な宗教的なことをさせられるのではないかと思っていたのです。

一方で、私はキリスト教の証拠を調べていくうちに、それが真実であるということも分かってきていました。

そこで決断をくだすのは後回しにして、今は人生を楽しんで、死の間際にクリスチャンになればいいと考えたのです。ですが、これでは誠実とはいえないということも分かっていました。ですから私は、本当に不承不承、自分の人生をキリストに献げたのです。

私が理解できていなかったことは、キリスト教とは、私たちを愛し私たちにとって最善を望んでおられる神との関係に関するものである、ということでした。私には、C.S.ルイスが彼自身のキリストとの体験を書いた本の題名『喜びのおとずれ』(“Surprised by Joy”)のように、まさに、喜びの訪れでした。クリスチャンになることは、最も心の躍る関係の始まりでした。新しい人生の始まりだったのです。パウロが書いたように「だれでも、クリスチャンになると、内側がまったく新しくされます。もはや今までと同じ人間ではありません。新しい人生が始まったのです」(Ⅱコリント5:17、リビングバイブル)。パウロの言う新しい人生を始めたばかりの人が、どのような感想を持っているか、私は時々メモにとっています。ここに、そのうちの二つをご紹介しましょう。

> 私には以前は絶望しかありませんでしたが、今では希望を持つことができるようになりました。以前は心は冷え切っていたのですが、今ではゆるすことができるようになりました。神様は私のために生きておられます。神様が私を導き、今まで感じていたどうしようもない孤独は消え去りました。神様が私の深い深い部分の空しさを満たしてくださったのです。

> 私は町中の人を抱きしめて回りたいくらいです。祈ることがやめられません。今朝はバスの2階で祈

りに没頭していて、乗り過ごしてしまいました。

体験は人それぞれです。すぐにその違いに気づく人もいますが、徐々に変化を感じる人もいます。大切なことは、体験よりも、私たちがイエス・キリストを受け入れたときに神の子となったという事実なのです。これが新しい関係の始まりです。使徒ヨハネは、「しかし、言（ことば）は、自分を受け入れた人、その名を信じる人びとには神の子となる資格を与えた」（ヨハネ1:12）と書いています。

良い両親は子どもたちに、親との関係に確信をもってほしいと願っています。同じように、神も私たちに、神との関係に確信をもってほしいと願っておられるのです。多くの人は、自分がクリスチャンかどうか確信がもてません。アルファ・コースの終わりにアンケートに答えて頂きますが、その中に「コースを始める前、あなたはクリスチャンだったと言えますか？」という質問があります。ここに、この質問に対する答えをいくつか挙げてみましょう。

「はい、でも神様との関係を経験していたわけではありません。」
「ある意味で…」
「おそらく、そう思う。」
「わかりません。」
「多分…」
「みたいな感じ…」
「はい、そう思います。でも思い返してみれば、違ったかもしれません。」
「いいえ、クリスチャンもどきでした。」

新約聖書は、私たちがクリスチャンであり、永遠の命を持っていることを確信できると、はっきりと示しています。使徒ヨハネは「神の子の名を信じているあなたがたに、これらのことを書き送るのは、永遠の命を得ていることを**悟らせ**たいからです」（Ｉヨハネ5:13、強調筆者）と記しています。

カメラの三脚が三本の足で支えられているように、神と私たちの関係の確信は、三位一体のそれぞれの方の働きにしっかり基づいています。つまり、御言葉の中で、神が私たちに与えておられる父なる神の約束、私たちのために死なれた御子の十字架上の犠牲、私たちの心の内におられる聖霊の確信です。これを「神の言葉」「イエスの働き」そして「聖霊の証し」という三つの項目にまとめることができます。

神の言葉

もし感情だけに頼るなら、私たちは何にも確信を持つことはできません。私たちの感情は、様々な要因によって揺れ動きます。例えば天気や、朝食に何を食べたかなどにも左右されます。感情は変わりやすく、惑わされてしまうこともあります。しかし聖書の約束、つまり神の御言葉は、決して変わることがなく、完全に信頼することができます。

聖書には、たくさんの素晴らしい約束があります。特にクリスチャンになりたてのころ、私にとってとても役に立った御言葉は、聖書の一番最後の書でした。幻の中でヨハネは、イエスが七つの教会に語っているのを見ます。ラオディキアに向けてイエスは、「見よ、わたしは戸口に立って、たたいている。だれかわたしの声を聞いて戸を開ける者があれば、わたしは中に入ってその者と共に食事をし、彼もまた、わたしと共に食事をするであろう」（黙示録3:20）と言っています。

キリスト教の信仰を持って新しい人生を始めることを表すには様々な表現があります。「クリスチャンになる」「キリストに人生を献げる」「キリストを受け入れる」「イエスを人生に迎え入れる」「イエスを信じる」「イエスに心の戸を開く」などです。どの表現もまったく同じ事実を表しています。この御言葉にあるように、イエスが、聖霊によって私たちの人生に入ってこられるということです。

ラファエロ前派の画家ホルマン・ハント（1827～1910）は、この御言葉に触発されて「世の光」という作品を描きました。彼は、全部で3枚の「世の光」を描きました。1枚はオックスフォードのキーブル・カレッジに、もう1枚はマンチェスター市立美術館、そして最も有名な1枚は、1905年から1907年まで英国植民地各地で展示された後、セントポール大聖堂に収められています。最初の作品が展示されたとき、評価はあまりよいものではありませんでした。1854年5月5日に、芸術家であり批評家であるジョン・ラスキンがタイムズ紙に投稿し、この作品の象徴的意味を丁寧に説明し、この作品が「今世紀だけではなく、歴史上最も崇高な宗教画の一つである」と絶賛しました。

「世の光」であるイエスは、戸口に立っています。戸口には、つたや雑草が生い茂っています。この戸は、明らかにだれかの人生の戸を象徴しています。この人は今まで自分の人生にイエスを迎え入れたことは一度もありません。イエスは、戸口に立ってドアをノックしています。イエスは戸が開けられるのを待っているのです。イエスは中に入って、この人の人生の一部となりたいのです。ある人がホルマン·ハントに、この絵には間違いがある、と言ったことがあるそうです。「ドアに取っ手を描くのを忘れましたね」。

ハントは答えて言いました。「いいえ。忘れてはいません。わざとですよ。この戸には取っ手は一つしかないのです。それは内側にあるのです」。

いいかえれば、イエスを人生に迎えるために、私たちが戸を開けなければならないのです。イエスは決して無理に入って来ることはなさいません。イエスは私たちに選択の自由を与えているのです。イエスに対して戸を開けるかどうかは、私たち次第なのです。もし戸を開けるなら、イエスは「わたしは中に入ってその者と共に食事をし、彼もまた、わたしと共に食事をするであろう」と約束しています。共に食事をするということは、イエスのために人生の戸を開けるすべての人に、イエスが与えてくださる、友情のしるしです。

一度イエスを人生に迎え入れると、決して私たちを離れないとイエスは約束しています。イエスは弟子たちに「わたしは···いつもあなたがたと共にいる」(マタイ28:20)と言っています。いつも直接イエスと会話をしているわけではないかもしれませんが、いつもイエスは共におられるのです。友人と同じ部屋で仕事をしているとき、いつも話しているわけではないでしょう。でも、お互いが同じ部屋にいるのだということは意識しているはずです。イエスの存在もちょうど同じです。イエスは常に私たちと共にいてくださるのです。

イエスが共にいてくださるという約束は、新約聖書にあるもう一つの素晴らしい約束と深く関連しています。イエスは、イエスに従う者たちに永遠の命を与えると約束しています(ヨハネ10:28)。すでに見てきたように、新約聖書における「永遠の命」とは、イエスを通して得られる神との関係の中に生きることからくる、人生の質のことです（ヨハネ17:3）。この新しい人生は、今から始まります。イエスがもたらす豊かな命を体験するときに始まるのです（ヨハネ10:10）。そしてこれはこの地上の人生で終わるものではなく、永遠に続くのです。

イエスが死者の中から復活されたことには、多くの意味が含まれています。まず、私たちに、過去に関しての保証を与えます。イエスが十字架上で成し遂げられたことには力があるからです。「復活は、単に敗北の反対の意味ではない。むしろ、勝利の宣言である」（＊29）。次に、復活は現在に保証を与えます。イエスは生きておられるのです。イエスの力は私たちと共にあり、私たちに豊かな命をもたらしてくれるのです。三つ目に、復活は未来を保証します。この人生は終わりではなく、死を超えた命があるのです。歴史は意味のないものでも、繰り返すものでもありません。歴史は、イエスの再臨という輝かしいクライマックスに向かって動き続けるのです。

その日イエスは再び地上に来られ、新しい天と新しい地を確立します（黙示録21:1）。そのときキリストにある者は「いつまでも主と共にいることになります」（Ⅰテサロニケ4:17）。そこには、もはや涙も痛みもありません。誘惑も罪もありません。苦難もなければ、愛する者と離れ離れになることもありません。そこでは、イエスを、顔と顔とを合わせて見ることができます（Ⅰコリント13:12）。私たちは、栄光に輝く痛みのない復活の体を与えられるのです（Ⅰコリント15章）。私たちは、よりイエス・キリストに似た者として造り変えられるのです（Ⅰヨハネ3:2）。天国は喜びに満ち溢れ、歓喜が永遠に続くところです。それは変化のない退屈な場所だろうとあざ笑う人もいます。しかし「目が見もせず、耳が聞きもせず、人の心に思い浮かびもしなかったことを、神は御自分を愛する者たちに準備された」（Ｉコリント2:9、イザヤ64:4の引用）のです。

C.S.ルイスは、『ナルニア国物語』のシリーズの中でこれを次のように表現しています。

> 一学期が終わりました。休暇の始まりです。夢ではないのです。まさにこの朝が来ました。･･･今までのこの世での人生は･･･表紙と目次にしかすぎませんでした。今や、ついに、まだだれも読んだことのない物語の素晴らしい第一章がはじまるのです。この物語は永遠に続くのです。読み進むごとに物語りはどんどん素晴らしくなり、永遠に続いていくのです（＊30）。

イエスの働き

大学生のころ、『天国よ、今、行きます！』という本を読んだことがあります。最初私は、今日、多くの人が思うように、これは何と傲慢な主張だろうと思いました。天国に行けるかどうかが私たち次第だとしたら、そんなに自信を持って天国に行くと言うのは傲慢だと思ったのです。もし天国へ行けるかどうかが、私が良い人生を送ったかどうかによるのであれば、私にはまったく望みはありません。

しかし素晴らしい知らせは、それは私にかかっているのではないことです。それは、イエスが私のために成し遂げられたことによるのです。それは、私が行なうことや達成することによるのではなく、イエスの十字架上の御業によるのです。十字架上でなさったことにより、イエスは永遠の命の贈物を私たちに与えることができるのです（ヨハネ10:28、ローマ6:23）。私たちは、贈物を報酬として手に入れるのではありません。感謝をもって受けとるのです。

永遠の命は無償の贈物ですが、安いものではありません。イエスの命が代価として支払われたのです。悔い改めと信仰によって、私たちはこの贈物を受けとることができます。「悔い改め」とは、考えや心を変えるという意味です。この贈物を受けたいなら、私たちは、間違っていると分かっているすべてのことに背を向ける必要があります。こうしたことは、私たちに害を与え、「死」をもたらすものだからです（ローマ6:23）。これらのことから離れることを聖書では「悔い改め」（文字通りには「考えや心を変える」）と言うのです。C.S.ルイスは、これを次のように表現しています。「降参して、明け渡し、自分が悪かったと言い、今まで間違っていたことを悟り、人生をもう一度ゼロから始める用意があること。この穴から抜け出すためには、これしか方法はありません」。

信仰とは何でしょうか。ジョン・パットン（1824～1907）は、ダムフリッシャー出身のスコットランド人で、南西太平洋にあるニューヘブリディーズ諸島をまわって、その地域の部族にイエスについて宣べ伝えた人です。その部族は人食い人種でした。そのため彼の命は常に危険にさらされていました。パットンはヨハネによる福音書の翻訳を手がけようとしましたが、「信じる」とか「信頼する」という単語は、彼らの言語にはありませんでした。誰も他人を信頼していなかったのです。やがてパットンは、探していた言葉を見つける方法があることに気づきました。ある日、彼の現地の使用人が入ってきたとき、パットンは椅子に深く腰をおろして両足を床から上に上げ浮かせた状態で訊きました。「私は今何をやっていると思うか？」使用人は「全体重をあずけている」という意味の単語を言いました。これこそパットンが探していた表現でした。信仰とは、イエスと、イエスが十字架で私たちのためにしてくださったことに、全体重をあずけることなのです。

ブロンダンという名前でよく知られていますが、本名ジャン・フランソワ・グラブレ（1824〜1897）という人物は、綱渡りとアクロバットの名人でした。ナイアガラの滝の上50メートル上空を、335メートルもの距離を何度も綱渡りをしたことでよく知られていました。多くの人が見物する中、バランスをとる棒を使いながら比較的単純な綱渡りをやっていきます。それから、棒を投げ捨て、見物している人たちを驚かせます。1860年のある日、イギリスから王室一家がブロンダンの芸を見るためにやってきました。ブロンダンは竹馬に乗って綱渡りをしました。それから目隠しをして渡りました。次に綱の真ん中で止まり、オムレツを作って食べました。さらには手押し車を押して綱を渡り、群集を湧かせました。それから手押し車にジャガイモの入った袋を一つ入れました。そして同じように綱を渡りました。群集はさらに大きな喚声をあげました。そこで、ブロンダンは王室一家のところへ行って、ニューカッスル公爵に尋ねました。「手押し車の中に人間を一人乗せて、綱を渡れるとお思いですか？」

「できると思う。」と公爵は答えました。

ブロンダンは言いました。「では、どうぞ」。群集はシーンと静まりました。しかしニューカッスル公爵は申し出に応じませんでした。

「他にだれか、私ができると信じる人はいませんか？」ブロンダンは群集に向かって聞きましたがだれも答えません。やがて、一人の老女が群衆の中から歩み出て、手押し車の上に乗りました。ブロンダンは彼女を乗せて綱を渡って向こう側へ行き、再び戻ってきました。この老女はブロンダンの母親でした。彼の手に喜んで命を委ねることのできるたった一人の人だったのです。信仰とは、ただ単に知力を働かせるものではなく、イエスに信頼を置くという実際の第一歩が必要なのです。

神の贈物を受けとると、それを黙っていることはできません。私たちはクリスチャンとして知られること（ローマ10:9～10）、神の民として名乗る（ヘブライ11:25）心構えをしておかなければなりません。悔い改めや、信仰や、公に承認されることによって救いを得るわけではありません。これらはすべて無償の贈物を受けとる方法です。救いは私たちによってではなく、イエスによって得ることができるのです。

それはすべて私たちに対する神の愛から始まります。「神は、その独り子をお与えになったほどに、世を愛された。独り子を信じる者が一人も滅びないで、永遠の命を得るためである」（ヨハネ3:16）。私たちは皆「滅び」に値する者でした。神は、窮地に置かれている私たちを御覧になり、私たちのために死ぬために独り子イエスを送ってくださいました。これこそ、神の私たちへの愛です。イエスの死の結果、信じる人すべてに、永遠の命が与えられたのです。

十字架の上で、イエスは、私たちの悪い行いをすべてその身に背負われました。これははっきりと旧約聖書で預言されていました。その何百年も前に書かれたイザヤ書に、「苦難のしもべ」が私たちのためになさるであろうことを、この預言者は語っています。「わたしたちは羊の群れ。道を誤り、それぞれの方角に向かって行った。そのわたしたちの罪をすべて主は彼（イエス）に負わせられた」（イザヤ53:6）。

預言者イザヤが語っていることは、私たちは皆間違ったことをし、道を誤ってしまったということです。また別の個所では、私たちが間違ったことをすると、それが私たちと神との間を隔てる原因となってしまうとも言っています（イザヤ59:1～2）。これが、神が遠く離れているように感じる原因の一つなのです。私たちと神との間に障壁があり、その壁が神の愛を体験することを妨げているのです。

一方、イエスは間違ったことを何もなさいませんでした。イエスは、完璧な人生を送られたのです。イエスと父なる神との間には何の隔てもありませんでした。十字架の上で神は、私たちの間違った行い「私たちの罪」をイエスの上に移されました（「主は私たちの罪をすべて･･･彼に負わせられた」）。ですから、イエスは十字架の上で「わが神、わが神、なぜわたしをお見捨てになったのですか」（マルコ15:34）と叫んだのです。この瞬間に、イエスは神から断絶されたのです。ご自身の罪のためではなく、私たちの罪のために。

これにより、イエスが成し遂げられたことを受け入れるすべての人と神との間の障壁は取り除かれたのです。その結果、私たちは神のゆるしを確信することができるのです。私たちの罪悪感は取り除かれました。私たちは二度と罪に定められることはないと確信できるのです。パウロは言っています。「従って、今や、キリスト・イエスに結ばれている者は、罪に定められることはありません」（ローマ8:1）。これが、十字架の上で私たちのために死ぬことによってイエスが成し遂げられたことゆえに、私たちは永遠の命をいただいていると確信できる、二つ目の理由です。

聖霊の証し

クリスチャンになると、神の聖霊がその人の内に住まわれます。多くの聖霊の働きの中で、特に二つのことが、キリストにある信仰を私たちが確信するのを助けてくれます。

まず、聖霊は内側から私たちを変えてくださいます。聖霊は、私たちの人生において、イエスの性質を作り出してくれるのです。これを、「霊の結ぶ実」といいます。「霊の結ぶ実は愛であり、喜び、平和、寛容、親切、善意、誠実、柔和、節制です」（ガラテヤ5:22〜23）。聖霊が私たちの内に住むとき、これらの「実」が育ち始めます。

私たちの性質は、他の人にも分かるほどに変化することがあります。しかし、もちろんこれらの変化は一朝にして起こるものではありません。先日、庭に梨の木を植えました。私たちは毎日、実がなっているかと期待しながら木を見ていました。ある日、この本のイラストを書いてくれた友人が、ふざけて、大きな林檎をこの木に糸でくくりつけました。いくら私でも、これにはだまされませんでした。植物に関する知識は乏しいですが、実がなるにはある程度時間がかかるということも、梨の木に林檎はならないことも知っていました。私たちも、時がたつにつれて、もっと愛情深く、もっと喜びに溢れ、もっと平和で、もっと辛抱強く、もっと親切で、もっと自制できる人間になったと、周りの人が気づくようになることを期待します。

私たちの性質が変化するように、私たちの関係にも変化が現れます。私たちの神との関係、そして、周りの人との関係です。私たちの内に、父と子と聖霊である神への新しい愛が育ってきます。例えば、「イエス」という言葉を聞いて、感じることが変わってきます。クリスチャンになる前は、ラジオを聞いたりテレビを見たりしていて話がイエス・キリストのことになると、私はスイッチを切っていました。けれども、クリスチャンになった後は、ボリュームをあげます。なぜなら、イエスに対する態度がまったく変わってしまったからです。これは、私がイエスに対して新しい愛を抱いたという小さなしるしです。

私たちの周りの人たちに対する態度も変化してきます。新しくクリスチャンになった人は、よく、道を歩いている人、バスに乗っている人びとの顔が、突然目に入るようになったと言います。以前は、他の人たちに対する関心はほとんどなかったのですが、今では、悲しそうに当惑しているように見える人のことが心配になるのです。私にとって最も大きな変化は、他のクリスチャンへの態度でした。以前の私は、キリスト教を信じている人たちを避けるようにしていました。後になって、彼らは思っていたより悪くないということが分かったのです！

更に、ほどなくして、私はそれまでの人生で経験したことのない深い友人関係を、クリスチャンの人たちと持つようになったのです。

次に、他の人にも分かる生活の変化と同様に、聖霊は私たちの内に神を体験させてくれます。聖霊は、私たちが神の子どもであるという深い個人的な確信を与えてくれるのです（ローマ8:15～16）。この体験は人によって様々です。

カール・タトル師は、崩壊した家庭で育ったアメリカ人の牧師です。彼は父親から虐待される大変不幸な子供時代を過ごしました。クリスチャンになった後のある折、特別に、神が自分に何を語っているのかを聞きたいと思ったことがありました。一日中、だれにも邪魔をされずに祈れる静かな片田舎に行って、祈りの時間を持つことにしました。その場所に着いて祈り始めましたが、15分後には、その祈りが何にもならないような気がしてきました。そこで、さらに落ち込み、がっかりして家に帰ってきました。家に帰ると、２歳になる息子のザッカリーの寝顔を見てくると妻に言って、子ども部屋に入って息子を抱き上げました。息子を抱き上げると、この赤ちゃんに対する深い深い愛情が彼の内側から湧き上がり、涙が溢れてきました。彼は息子に話しかけて言いました。「ザッカリー、お父さんはお前のことを愛しているよ。心の底から愛しているよ。何が起ころうとも、お前を決して傷つけたりはしないよ。いつでもお前のことを守る。いつも、お前のお父さんだよ。友達だよ。いつも愛しているよ。お前が、たとえどんな罪を犯したとしても、何をしたとしても、私や神様に背を向けるようなことがあったとしても、お父さんはお前のことを愛しているよ」。このとき、突然カールは、自分が神の腕の中にいて、神が「カール、お前はわたしの息子だ。お前を愛しているよ。お前が何をしようと、お前がどこに行こうと、いつでもお前を愛しているよ。いつもお前に必要なものを与え、いつも導くよ」と語っているのを感じたのです。

このようにして、聖霊は、彼が神の子であるということを証してくれました（ローマ8:16）。これが、神との関係に確信を持ち、ゆるされている、永遠の命を得ていると確かに信じることのできる三つ目の方法です。私たちがそれを知るのは、客観的には、私たちの性質や他者との関係が少しずつ変化していることを通して、主観的には、私たちは神の子であるという内なる確信を通して、聖霊が私たちに証してくれるからです。

これらの方法（神の言葉、イエスの働き、聖霊の証し）により、イエスを信じる者は、自分たちが神の子であり永遠の命を得ているということを確信できるのです。

確信を持つことは傲慢ではありません。神が約束してくださったことと、イエスの死によって成し遂げられたこと、そして私たちの人生で働いてくださる聖霊とに基づいているのです。父なる神との関係に絶対的な確信を持ち、神のゆるしを知っていること、永遠の命を得ていることを確信できるのは、神の子どもであることの特権の一つです。

あなたが、イエスを本当に信じたことがあるかどうか確信が持てないなら、ここに、キリストを信じ、キリストの死が可能にしてくれたすべての恵みを受けとる祈りがあります。

天のお父様

私が今まで行った過ちを
どうぞゆるしてください。

（ここで少し時間をとって、心に何か具体的なことが浮かんできたら、そのことに対するゆるしを求めてください）。

どうぞ、私をゆるしてください。
私は今、間違っていると分かっている
すべてのことから離れます。

私がゆるされ、自由にされるために、
あなたは御子イエスをこの世に送ってくださり、
イエスが十字架上で
私のために死んでくださったことを感謝します。

私は、今からイエスを私の主として従順に従います。
今、あなたのゆるしとあなたの聖霊を
私に与えてくださることを感謝いたします。
私は今、その贈物を受けとります。

聖霊によって永遠に私と共にいてくださるために、
どうぞ、私の命、生活、人生にお入りください。
私たちの主、イエス·キリストを通して

アーメン。

5

聖書を読むには？

1974年のバレンタインデーの夜のことでした。パーティーから帰ってきて大学の寮の部屋でくつろいでいると、私の大親友がガールフレンド（今では彼の妻）を連れていっしょに帰ってきました。そして、二人ともクリスチャンになったと言うのです。私は、彼らが変なカルトにつかまったのではないかと不安になり、彼らを助けなければと思いました。

当時の私は、時には無神論者で、時には何を信じているのか分からない不可知論者でした。洗礼も堅信礼も受けていましたが、それは、私にとって特に大きな意味はありませんでした。学校ではチャペルに定期的に行っていたし、宗教の時間には聖書の勉強をしていました。ですが、結局のところすべてを拒絶し、キリスト教に対して反対論を力説していたのです（と当時は思っていました）。

今こそ友人を助けるときです。そのために、その問題を徹底的に調べ上げることにしました。そこで、コーラン、マルクス、サルトル（実存主義の哲学者）、それに聖書を読む計画を立てました。たまたま埃をかぶった聖書が本棚にあったので、その晩はそれを手にとって読み始めました。マタイ、マルコ、ルカそしてヨハネによる福音書を半分まで読み、そこで眠りました。翌朝、目が覚めてから、ヨハネによる福音書を読み終え、使徒言行録、ローマの信徒への手紙、コリントの信徒への手紙一、二と読み進むうちに、その内容に完全に心をとらえられてしまいました。前にも読んだことがあるのですが、以前はまったく意味を持ちませんでした。ところが、このときは、それが生きているように思え、聖書を置くことができなかったのです。そこには真理らしい響きがありました。読んでいく内に、それがあまりにも力強く私に語りかけてくるので、それに対して応答しなければならないと分かりました。ほどなくして、私はイエス・キリストに信仰をおくようになったのです。

それ以来、聖書は私にとって「喜び」となりました。詩編の著者は次のように言っています。

> いかに幸いなことか
> 神に逆らう者の計らいに従って歩まず
> 罪ある者の道にとどまらず
> 傲慢な者と共に座らず
> 主の教えを愛し
> その教えを昼も夜も口ずさむ人。
> その人は流れのほとりに植えられた木。
> ときが巡り来れば実を結び
> 葉もしおれることがない。
> その人のすることはすべて、繁栄をもたらす。
> （詩編 1:1 ～3）

私は、「主の教えを愛し」という言葉が大好きです。この時代、詩編の作者が持っていたのは、聖書の最初のモーセ五書だけでした。これらは、彼の喜びだったのです。この章では、聖書がどうして、またどのように、私たち一人ひとりの「喜び」となるのか、聖書を紹介しながら、他に類を見ないその特徴を見ていきたいと思います。

まず、第一に、聖書は他に類を見ないほど人気があります。1年におよそ4千400万冊が販売され、米国では、一家庭に平均して6.8冊の聖書があるそうです。最近、タイムズ誌に、「英国の現代人気作家やタレントの本さえも聖書の足元にも及ばない！　聖書こそ毎年のベストセラー！」という見出しの記事が載っていました。記者は次のように書いています。

> 例年のごとく、今年のベストセラーは他を大きく引き離して、聖書だった。聖書が、一般書籍と同じカテゴリー内に入れられ、聖書以外の本がベストセラーになることがあったら、それこそ注目に値する。ますます神不在になりつつあるこの現代において、これは素晴らしいことではあるが、奇妙なことで、まったく不可解である。年を追うごとに様々な種類の本が手に入るようになっているというのに、聖書は、毎月毎月飛ぶように売れているのである。英国では毎年、およそ125万冊の聖書が販売されているということである。

この記者は、記事の最後をこうしめくくっています。「どの版の聖書も絶えずよく売れている。これをどう説明するのか聖書出版協会に尋ねたところ、なんとも他意のない答えが返ってきた。『いやぁ、聖書は、本当にいい本ですからねぇ』」。

第二に、聖書は、類のないほど力のある本です。1928年5月、スタンリー・ボールドウィン首相は次のように言いました。「聖書はきわめて起爆性が高い。だが、それは大変不思議な方法で働き、この本がどのようにして世界中を巡り、何万もの異なった地域で、一人ひとりの魂を驚愕させ、新しい人生、新しい世界、新しい信頼、新しい考え方、新しい信仰へと導いてきたのか、だれにも分からないのだ」。

近年、オカルトへの興味が高まっています。こっくりさんをしたり、オカルト映画を見たり、未来を占ったり、星占いを読んだりしています。人びとは、超自然的な力を感じたいと思っているのです。しかし、悲劇的なことは、多くの人が、超自然的な悪の力とのコミュニケーションを求めてしまっていることです。一方、聖書の中で、神は私たちに、超自然的な善の力に出会うチャンスを与えてくださるのです。生きている神と出会うことは、もっとスリルに溢れ、満足するものであり、はるかに賢明なことです。

第三に、聖書は最も価値ある本です。16年程前、私たち家族は、当時はソヴィエト連邦の一部だった中央アジアで休暇を過ごすことにしました。当時、そこでは聖書は法律で固く禁じられていましたが、私はロシア語の聖書を数冊と、キリスト教の本を何冊か持って行きました。そこに滞在中、いろいろな教会を訪れて、顔の輝きから本物のクリスチャンに見える人たちを探しました。（当時、大抵の集会にはKGBが潜入していました）。あるとき、礼拝の後で、私は60歳代くらいの一人の男性の後をついていき、彼に近づいて肩をたたきました。周りには誰もいません。そこで聖書を一冊取り出して、彼に手渡しました。しばらくの間、彼は信じられないという表情をしていましたが、自分のポケットから新約聖書を取り出しました。それはまるで100年間も使い込んだかのように紙は擦り切れていて、透けて見えるほどでした。彼は聖書全巻を受けとったことに気づいたとき、顔が急にぱっと明るくなりました。彼はまったく英語を話せなかったし、私もまったくロシア語を話せません。私たちはしっかりと抱き合い、彼は喜びに溢れて飛び上がりながら、走って行きました。彼は、聖書がこの世で最も価値のあるものだということが分かっていたのです。

なぜ聖書はそんなにも多く読まれ、力があり、価値があるのでしょうか。イエスは言いました。「人はパンだけで生きるものではない。神の口から出る一つ一つの言葉で生きる」（マタイ4:4）。この言葉は、現在形で「神の口から絶えず出つづけている」言葉のことです。それは力強く溢れ、湧き上がる泉から流れ出る川のようで、決して止まることはありません。神は今でも絶えず、神の民である私たちとコミュニケーションをもちたいと願っておられます。神はおもに、聖書を通して私たちとコミュニケーションをとられるのです。

人生のマニュアル
――　神は語られました

神は、御子イエス・キリストを通して私たちに語られました（ヘブライ1:2)。キリスト教とは、啓示された信仰です。神がご自身を啓示なさらない限り、私たちが神について知ることはできません。神は、イエス・キリストという方を通してご自身を明らかにされました。イエスこそ神の究極的な啓示なのです。

イエスを知る主な方法は、聖書に記されている神の啓示を通してです。聖書神学は、聖書にある神の啓示を研究する学問です。神は被造物を通してもご自身を示してくださいました（ローマ1:19～20、詩編19編）。科学とは、神が造られたものに見られる神の啓示を探求する学問です。(科学とキリスト教には何の矛盾もないはずです。むしろ両者は補い合うものです)。神は、聖霊によって私たちに直接語りかけることもあります。預言や夢や幻を通して、また他の人を通して語られることもあります。これらについてはさらに詳しく、特に「神の導きとは？」の章で見ていきたいと思います。この5章では、聖書を通して、神がどのように語られるかについて見ていきましょう。

パウロは、自分が書いていたときに受けた神の霊のインスピレーションについて次のように記しています。「聖書はすべて神の霊の導きの下に書かれ、人を教え、戒め、誤りを正し、義に導く訓練をするうえに有益です。こうして、神に仕える人は、どのような善い業をも行うことができるように、十分に整えられるのです」（Ⅱテモテ3:16〜17）。

「神の息を吹き込まれた」という言葉は、ギリシヤ語で「セオプニューストス」と言い、これはしばしば「神の霊感を受けた」と訳されています。しかし文字通りの意味は「神が息を吹き込まれた」ということです。筆者は、聖書は神が語っておられると言っているのです。もちろん、神は人間の手を使われました。それは、100パーセント人間の手によるものであり、同時に100パーセント神の霊感によるものなのです。（ちょうどイエスが完全に人間であり、完全に神であるのと同じです）。

イエスご自身も、当時、聖書は神によって書かれたものと見なしていました。イエスにとって、聖書に書かれていることは、神が言われたことだったのです（マルコ7:5〜13）。イエスが私たちの主であるなら、私たちの聖書に対する態度は、イエスと同じでなければなりません。「神の究極の啓示としてキリストを信じる信仰は、聖書もまた神の霊感によって書かれた書物であることを信じることになる。イエスが直接、旧約聖書がそういう書物であると証ししているし、イエスの証しの結論として新約聖書が書かれた」（＊31）。

聖書が神の霊感によって書かれたものであるという見解は、時代を超えて全世界の教会において、ほとんど普遍的なものです。初期の教会の神学者たちもこの見解を持っていました。イレナエウス（約紀元130年〜200年）は「聖書は完全である」と言っていますが、宗教改革家マルティン・ルターも、「一切の過ちのない聖書」と言っています。カトリック教会の公式見解は第二バチカン公会議の公文書に記されていますが、「聖書は聖霊の霊感によって書かれ、神を作者とし･･･」とあります。従って聖書は「誤りのない」ものとして認識されなければなりません。また、これは前世紀までは、世界中のプロテスタント教会の見解でもありました。今日、学問の世界において疑問視され嘲笑されていますが、それでも尚、この見解は多くのすばらしい学者によって支持されているのです。

これは、聖書に難解な部分がないという意味ではありません。ペトロでさえ、パウロの手紙の中には「難しく理解しにくい」（Ⅱペトロ3:16）個所があると言っています。倫理的、また歴史的に難解な個所もあり、矛盾のように見えるところもあります。その中には、筆者が書いている別の文脈から説明できるものもあります。聖書は1500年にも渡って、少なくとも40人の筆者によって書かれたものであることを覚えておかなくてはなりません。筆者の中には、王や学者、哲学者、漁師、詩人、政治家、歴史家、医者などがいました。歴史書、物語、詩、預言、手紙、黙示文学など、様々な手法を使って書かれています。

矛盾に見えることの中には、異なった文脈によって説明できることもありますが、理解するのが難しいものもあります。しかし、これは理解不可能という意味ではなく、聖書が神の霊感によって書かれたという信仰を放棄するべきでもありません。キリスト教のどのような素晴らしい教義にも、難しい点はあるのです。例えば、神の愛とこの世にある苦難を、矛盾のないものにするのは難しいことです。それでも、すべてのクリスチャンは神の愛を信じ、「神の愛を信じる立場」から苦難の問題を理解しようとするのです。同じように、聖書が神の霊感によって書かれたものであるという信仰にしっかりと留まり、その範疇で難解な個所を理解するように努めるのです。難しい部分にぶつかったとき、そこを避けるのではなく、できるかぎり納得のいくまで理解しようと努めることこそ、大切なのです。

たとえ難しい点をすぐに理解できないとしても、聖書のすべての部分が、神の霊感によって書かれたものであるという事実を手放さないことがとても大切です。そうするときに、私たちの生き方が変わってくるはずです。ビリー·グラハムがまだ若かったころ、幾人かの人が(その内の一人はチャックという人でした)彼に、「聖書の中のすべてが信じられるわけではないよ」と言い出しました。ビリーはそのことで不安を覚え、だんだん分からなくなってきてしまいました。この伝道者の伝記を書いたジョン·ポロックは、その中で、次のように記しています。

> 私は家に帰り、聖書を持って外に出て月光を浴びました。木のそばに行って、切り株の上に聖書を置き、そこでひざまずいて言いました。「あぁ、神様、

ある一つのことが証明できません。チャックや他の人が持ち出したいくつかの問題に答えられないのです。でも、私は、この聖書が神の言葉であることを信仰によって受け入れます」。私は切り株の横にひざまずいたまま言葉もなく祈りました。涙が溢れてきました。･･･神の圧倒するような臨在を感じました。私の決断が正しいものであったという大きな平安に満たされたのです（＊32）。

聖書が神の霊感によって書かれたという事実を私たちが受け入れるなら、そこには聖書の持つ権威が伴います。もし聖書が神の言葉であるのなら、それは私たちの信仰や行動に対し最高の権威を持つものでなければなりません。イエスにとって、聖書は最高の権威を持つものでした。それは、当時の教会の指導者（例：マルコ7:1～20）や賢明な人の意見にも勝る権威を持っていました（例：マルコ12:18～27）。とはいえ、もちろん私たちは、教会の指導者や他の人が言うことも尊重しなければなりません。

聖書は、「信仰と行い」すべての面で、私たちの権威であるべきです。すでに見てきたように、「聖書はすべて神の霊の導きの下に書かれ、人を教え、戒め、誤りを正し、義に導く訓練をするうえに有益です」（Ⅱテモテ3:16）。まず、聖書は私たちが信じているもの（使徒信条）の権威です。つまり、「教え」と「戒め」にも権威があるのです。苦難に関して、イエスに関して、十字架その他に関して、神が何と言っておられるか（つまり私たちが信じるべきこと）は、聖書の中にあるのです。

次に、私たちがどう行動するか（私たちの行い）、「誤りを正し」「義に導く訓練」に対しての権威です。ここに私たちは、神の目に何が間違っているのか、どのようにして正しい生き方ができるのかを見出せます。例えば、「十戒は･･･社会や人びとが節度のある正しい文化的な生活を営むにあたり、最低条件を明確にしたもの」(＊33)なのです。

聖書には、非常にはっきりしているいくつかのことがあります。聖書には、例えば仕事場にいるときやプレッシャーの中、私たちが日々の生活でどのように振る舞ったらいいかが記されています。私たちは聖書から、独身でいることは、神からの召命という場合があることが分かります（Ⅰコリント7:7)。しかし、これはむしろ例外であり、結婚が標準的なのです（創世記2:24、Ⅰコリント7:2)。結婚外のセックスは間違っていることが分かります。また、仕事を得ようと努力するのは正しいことも分かります。与えること、ゆるすことは正しいことも分かります。さらには、子どもたちの育て方や年とった親戚への配慮の仕方のガイドラインも与えてくれるのです。

「こんな規則書はいらない。あまりにも制限が多いよ。こんなにたくさんの規則や制限があるなんて。自由になりたいんだ。聖書の通りに生きたら、人生を楽しむことなんてできないじゃないか」と言う人もいます。本当にそうでしょうか。聖書は自由を奪うものなのでしょうか。それとも私たちに自由を与えてくれるものなのでしょうか。実は、規則や制限は、自由を生み出し、喜びを増やしてくれるのです。

数年前のことです。22人の少年たちが参加するサッカーの試合が企画されました。当時8歳だった私の息子もそれに参加しました。毎年、少年たちにサッカーをコーチしているアンディという私の友人が、審判をすることになりました。しかし、2時半になってもアンディは現れません。少年たちはもう待ちきれず、私は無理やり代理の審判役を押しつけられました。これにはいくつかの問題点がありました。まず、私は笛を持っていませんでした。競技場には境界線の白いラインも引いてありません。少年たちの名前も知らなければ、ユニフォームもありません。そして、ここにいる少年たちほどサッカーのルールを知りませんでした。

試合はすぐに混乱に陥りました。ボールはインだと叫ぶ子がいれば、アウトだと叫ぶ子がいます。私はよく分からないので、そのままにして試合続行です。そのうち、ファウル続出です。「ファウルだ！　反則だ！」と泣き叫ぶ子に、「ファウルじゃない！」と叫ぶ子。私にはどちらが正しいのか分かりません。だから試合続行、けが人続出です。やっとアンディが来ましたが、すでにグラウンドには３人の男の子が怪我をして横たわっていました。他の子どもたちは大声で叫んでいます。私に向かって叫んでいたのです！　アンディは到着するやいなや、まず、笛を吹きました。チームを作って境界線を決め、少年たちは彼のコントロール下に置かれ、思う存分試合を楽しんだのです。

少年たちは規則がなかったときの方が、自由だったでしょうか。それとも、自由が奪われていたでしょうか。権威のないところでは、少年たちは好き勝手に何をしようと自由でした。でもその結果、彼らは混乱し傷ついてしまったのです。少年たちは境界線がある方を、ずっと好みました。そして、その境界線の中で思う存分、自由に試合を楽しむことができたのです。

ある意味で聖書も同じです。これは神の規則書です。神は私たちに何が「イン」で何が「アウト」かを教えてくださるのです。神は、私たちがしても良いこと、してはいけないことを教えてくださるのです。私たちがその規則の中で行動するなら、そこには自由と喜びがあります。規則を破ると、私たちは傷つきます。神は私たちの人生の楽しみを奪うために「殺してはならない」と言ったのではありません。私たちの楽しみを台無しにするために「姦淫してはならない」と言ったのではありません。神は、私たちに傷ついて欲しくないのです。妻や夫や子どもたちがいるのに姦淫をしたら、人生はめちゃくちゃになってしまいます。

聖書は、神の民である私たちに対する神の御心の啓示です。神の御心を知ってそれを実践するにつれて、私たちは自由になるのです。神はすでに語られました。私たちは神が語られたことに耳を傾ける必要があるのです。

神からのラブレター ―― 神は語られます

ある人びとにとっては、聖書は手垢のついた人生のマニュアルにすぎません。彼らは神が語られたと信じ、何時間も聖書を研究します。それを分析し、解説書を読みます。それ自体に何も悪いことはありません。しかしそのような人は、神はすでに語られただけではなく、今日も聖書を通して私たちに語りかけておられることに気づいていないようです。神の望みは、私たちが神との関係の中に生きることです。神は御言葉を通して、毎日私たちに語りかけたいと願っておられるのです。聖書は人生のマニュアルであると同時に、私たちへのラブレターでもあるのです。

聖書の主な目的は、イエス・キリストを通して私たちがどのように神との関係に入っていけるかを示すことです。イエスは言われました。「あなたたちは聖書の中に永遠の命があると考えて、聖書を研究している。ところが、聖書はわたしについて証しをするものだ。それなのに、あなたたちは、命を得るためにわたしのところへ来ようとしない」（ヨハネ5:39〜40）。

ロチェスターの司教であったクリストファー・シャバッセ師は、次のように言っています。

> 聖書は、私たちの主イエス・キリストを描写したものです。福音書はその中の、まさにイエス像と言えます。旧約聖書はこの聖なる人物像を際立たせる背景であり、その人物像を指し示し、全体を構成するうえでなくてはならないものです。書簡は、人物像・イエスを説明し描写するもので、この人物像の衣装であり装身具の役割をしています。そこで、私たちが聖書を読み、この人物像の全体を学んでいくと、奇跡が起こるのです。この人物が命を取り戻し、書かれた言葉のキャンバスから抜け出します。エマオへの道で現れた永遠のキリストご自身が、私たちの聖書の先生となり、ご自身に関する御言葉のすべてのことを、分かりやすく解説してくださるのです。

聖書を読んでも、イエス・キリストのもとに行かなければ、聖書を勉強することは無駄な努力です。マルティン・ルターは「聖書はみどり子イエスが眠るかいばおけ、あるいは『ゆりかご』である。ゆりかごを調べることに夢中になって、この赤ちゃんを礼拝することを忘れてはならない」と言っています。

私たちの神との関係は一方通行ではありません。私たちは祈りの内に神に語りかけ、神もまた様々な方法で、おもに聖書を通して、私たちに語ってくださいます。神はすでに語られた御言葉を通して、今日も語られるのです。ヘブライ人への手紙の著者パウロは、旧約聖書を引用するとき、「聖霊がこう言われるとおりです」(ヘブライ3:7)と言っています。これは、過去に聖霊が語られただけではなく、すでに語られたことを通して、今、新たに語られるのです。これこそ、聖書を生きたものとさせるのです。マルティン・ルターが言っているように、「聖書は生きていて私に語りかけてくる。聖書には足があり、私を追いかけてくる。聖書には手があり、私をかたくとらえて離さない」のです。

神が語られるとき、何が起こるでしょうか。**第一に、まだクリスチャンではない人に信仰をもたらします。**パウロは次のように言いました。「実に、信仰は聞くことにより、しかも、キリストの言葉を聞くことによって始まるのです」(ローマ10:17)。聖書を読んでイエス・キリストへの信仰に導かれる人はたくさんいます。私の体験もそうでした。

ディビッド・シュシェは名探偵ポアロ役でも有名な、シェークスピア劇の役者ですが、数年前、彼はアメリカのあるホテルのお風呂に入っているときに、突然聖書を読みたいという衝動に駆られたそうです。ホテルにあるギデオンの聖書を見つけて、新約聖書を読み始めました。読んでいくうちに、彼はイエス・キリストに信仰をおくようになったのです。そのときのことを彼は次のように言っています。

どこからともなく、もう一度、聖書を読みたいという思いが湧いてきました。これこそ、私の人生を大きく変える出来事となったのです。使徒言行録から読み始めました。それからパウロの書簡、ローマの信徒への手紙、コリントの信徒への手紙と読み進みました。それから福音書を読み始めた途端のことでした。私は突然、新約聖書の中に、これからの人生の生き方を発見したのです（＊34）。

第二に、神はクリスチャンに語ってくださいます。聖書を読むにつれて、私たちは、イエス・キリストを通しての神との関係がだんだんと変化していくのを体験します。パウロは「わたしたちは皆、顔の覆いを除かれて、鏡のように主の栄光を映し出しながら、栄光から栄光へと、主と同じ姿に造りかえられていきます。これは主の霊の働きによることです」（Ⅱコリント3:18）と言っています。聖書を学んでいくうちに、イエス・キリストと触れ合うことができます。新約聖書に書かれているあの同じイエス・キリストに話しかけることができ、また彼の言葉を聞くことができるという素晴らしい事実に、私はいつも感動しています。聖書を読むときに、イエスは私たちに（耳に聞こえる声ではなく、大抵は心に直接）語りかけてくださいます。私たちは、イエスの私たちへのメッセージを聞くことができるのです。イエスと時間を共にしていると、私たちの性質は、もっとイエスに似たものとなるのです。

神の臨在の中で神の御声を聞きながら過ごすと、多くの祝福がもたらされます。神は、人生の危機のさなかにおいてさえ、喜びと平安をもたらされます（詩編23:5）。どちらの方向に進んだらよいか分からないとき、神は御言葉を通して導いてくださるのです（詩編119:105）。箴言は、神の御言葉は私たちの体を健康にするとも言っています（箴言4:22）。

聖書はまた、霊的な攻撃に対する防御を私たちに与えてくれます。聖書には、イエスが誘惑にあったという詳しい記述が一ヶ所あります。イエスは宣教の初期に、悪魔の絶え間ない誘惑に直面しました（マタイ4:1〜11）。イエスは聖書の御言葉を用いて、これらすべての誘惑に立ち向かいました。イエスの応答のすべてが、申命記6〜8章からの御言葉であるのは大変興味深いことだと思います。イエスが聖書のこの個所をよく学んでおられたので、それが新鮮にイエスの頭にあったと推測するのは、もっともなことです。

神の言葉は大きな力を持っています。ヘブライ人への手紙の著者は、「神の言葉は生きており、力を発揮し、どんな両刃の剣よりも鋭く、精神と霊、関節と骨髄とを切り離すほどに刺し通して、心の思いや考えを見分けることができるからです」（ヘブライ4:12）と言っています。神の言葉は私たちの防御を刺し通し、私たちの心を貫く力を持っているのです。フィリピの信徒への手紙2章4節を読んでいたときのことでした。「めいめい自分のことだけでなく、他人のことにも注意を払いなさい」という御言葉は、私の心にまっすぐ突き刺さる矢のようでした。私はいかに自分勝手であったかを悟ったのです。このように、または別の方法で、神の言葉は私たちに語りかけるのです。

時々、神は特別な方法で語られます。私の父は1981年1月21日に亡くなりましたが、その後、父のことを神はとてもはっきりと語ってくださいました。私はその7年前にクリスチャンになったのですが、両親の最初の反応は、怖れのようなものでした。ときが経つにつれ、二人は私の内に変化を見始めました。母は亡くなる大分前に献身的なクリスチャンになりました。父は口数の少ない人でした。初めは、父は私がキリスト教に深く関わっていることに大きな不安を抱いていたようです。しかし、次第に父の態度は温かいものになってきました。父の死は突然でした。彼の死で最も辛かったのは、父がクリスチャンであったかどうか私には確信がなかったことです。

父が亡くなってからちょうど10日後、私は聖書を読んでいましたが、心配なので、その日は、父のことについて語ってくださいと神に祈りました。そのときはちょうどローマの信徒への手紙を読んでいました。「主の名を呼び求める者はだれでも救われるのです」(ローマ10:13)という御言葉を読んだとき、私は、その瞬間に、神が私にこの言葉を語りかけてくださっているように感じました。この御言葉は私の父のための御言葉で、父は主の名を呼び求めたから「救われた」、と神が語っておられるように感じたのです。およそ5分後、妻のピッパが入ってきて言いました。「今、聖書を読んでいたんだけれど、使徒言行録の2章21節が、あなたのお父様のための御言葉のような気がしてならないのよ。『主の名を呼び求める者は皆、救われる』ってあるの」。この言葉は新約聖書に2回しか出てきません。それを神は私たち夫婦に、同じときに、同じ御言葉を、聖書の違う個所から語られたのです。これは、驚くべきことでした。

3日後、私たちは友人の家での聖書クラスに行きました。その日の聖書の個所はローマの信徒への手紙10章13節、まったく同じ個所だったのです。この3日の間に3回も、神は私の父について、同じ御言葉で語ってくださいました。それにもかかわらず、仕事に行く途中、私はまだ父のことを心配していました。地下鉄から出て、前を見ると大きなポスターがありました。そこには、「主の名を呼ぶ者はだれでも救われる」(ローマ10:13)とありました。このことを友人に話すと、「神様は君に語ろうとしているんじゃないかな？」と言われたことを覚えています。

神が私たちに語りかけ、私たちが神の御声を聞くことを学んでいくうちに、私たちの神との関係は成長し、神への愛もさらに深まるのです。

聖書を通して神が語られるのを、どのように聞けばよいのでしょうか

時間は、私たちにとって最も価値のある財産です。時間的なプレッシャーは大人になればなるほど増え、どんどん忙しくなってきます。「金は力、しかし時は命」ということわざがあります。聖書を読むために特別に時間をとるつもりなら、前もって計画を立てなくてはなりません。計画を立てなければ、決して実行できないでしょう。立てた計画の8割しか実行できなかったとしても、落ち込むことはありません。時には寝坊してしまうこともあるでしょう！

まず、現実的な目標を立てることが賢明でしょう。あまり度を過ぎた野望は抱かないこと。初日に一時間半も頑張って読み、翌日にはあきらめてしまうよりは、毎日数分だけでも聖書を読む時間をとるほうがはるかによいのです。今までに聖書を学んだことがない人は、毎日7分間ぐらいの時間を別にとるとよいでしょう。これを毎日定期的にしていると、だんだんその時間は増えてくると思います。神の言葉を聞けば聞くほど、あなたはもっと聞きたくなるでしょう。

マルコは、イエスは朝早く起き**人里離れた場所**に行っ

て祈ったと書いています（マルコ1:35）。どこか一人になれる場所を探すことはとても大切です。田舎にいるときには、私は外で祈るのが大好きです。ロンドンにいるときは、「人里離れた場所」を探すのはとても難しいです。ですから部屋の一角を定めて、いつもそこで聖書を読み、祈ります。私にとっては、朝一番、子どもたちが起きる前、電話が鳴り出す前のひとときが最良の時間です。頭をはっきりさせるために暖かいココアをいれて、聖書とスケジュール帳とノートを持って、その一角に行きます。ノートには祈りを書きつけたり、神が私に語ってくださっていると思うことを書きとめたりします。スケジュール帳は、その日の予定一つ一つについて祈るために用います。また、そのときに思いついたことも書きとめておきます。こうすれば、他の煩雑なことに気を取られることはありません。

まず、これから読む御言葉を通して、語ってくださるように神に頼みます。そして聖書を読みます。初めて聖書を読む方には、毎日、福音書の中の数節を読んでいくことをお勧めします。キリスト教書店で手に入る、聖書を読むためのガイドブックなども役に立つでしょう。

御言葉を読むときには、次の三つのことを自分自身に問いかけながら読んでみてください。

1. その個所には何と書いてありますか。少なくとも1回は読み、必要なら他の異なった訳も読み比べて見ましょう。
2. それはどういう意味ですか。最初に書いた人びとにとって、また、当時これを最初に読んだにとって、どのような意味を持っていたでしょうか。（ここでガイドブックが役に立ちます）。

3. それはどのように自分自身に、家族に、仕事に、近隣の人に、私の周りの社会に適用できるでしょうか。(これが最も重要な段階です。聖書が私たちの生活と関連しているのだということが分かってくると、聖書を読むことがとても楽しくなってきて、神の御声を聞いているという意識を持ち始めるのです)。

第三に、神から語られたことを実行に移さなければなりません。イエスは、言われました。「そこで、わたしのこれらの言葉を聞いて行う者は皆、岩の上に自分の家を建てた賢い人に似ている」(マタイ7:24)。19世紀の説教者D.L.ムーディーは言っています。「聖書は私たちの知識を増やすために与えられたものではない。それは人生を変えるために与えられた」。

この章の初めに見た詩編1編をもう一度見て、この章を閉じたいと思います。詩編の作者は、私たちが神の言葉に「喜ぶ」ようにと言っています。そうするときに、私たちの人生に、あることが起こると言っています。

第一に、私たちは実を結びます。詩編の作者は言いました。「その人は流れのほとりに植えられた木。ときが巡り来れば実を結び、葉もしおれることがない」(3節)。これは、私たちの人生が実を結ぶという約束です。聖霊の実です。(第4章で見てきました)。また、その結果として、まわりの人の人生をも変えるという意味でも、実を結ぶことになります。聖書を読むことは自分のためだけではありません。私たちが、他の人たち(友人や同僚、近所の人や、私たちが住む社会)にとっての祝福となるためでもあるのです。これは、永遠に残る実なのです(ヨハネ15:16)。

第二に、主と共に歩み続ける力が与えられます。主の教えを喜ぶ人たちへの神の約束は、「葉もしおれることのない」（３節）木のような存在なのです。

神の言葉を通してイエス･キリストと共にいると、私たちは枯れることがなく、霊的な活力を失うこともありません。大きな霊的体験をすることは大切で、素晴らしいことですが、それだけでは充分ではありません。イエス･キリストと神の言葉に深く根づき、神との関係にとどまっていないかぎり、私たちは人生の嵐に耐えることはできません。私たちが神との関係にとどまり、神の言葉を喜んでいるなら、嵐がやってきても立っていることができるのです。

第三に、詩編の作者は、神の言葉を喜ぶ「その人のすることはすべて」(3節) 繁栄をもたらすと言っています。人生における物質的な繁栄ではないかもしれませんが、人生で最も大切なことにおいて繁栄するのです。つまり、神との関係や、他の人との人間関係や、私たちの性質がイエス･キリストに似た者として造りかえられるという面で、大いに繁栄するのです。これらは、物質的な富よりも、はるかに価値のあるものです。

詩編の作者や何百万人ものクリスチャンと共に、あなたが聖書を「喜び」としていく決心をするよう期待しています。

6

神に祈るとは？

統計によると、特定の宗教を持たないイギリス人のうち、75％の人が何らかの形で週に一回祈るとのことです。私はクリスチャンになる前には、二種類の祈りをしていました。一つは子どものころ、特に教会には行っていなかったおばあさんから教えてもらった祈りで、「神様、お父さんとお母さんとみんなを祝福してください。僕をよい子にしてください。アーメン」というものです。この祈りに何も悪いところはありませんが、これは私にとって毎晩寝る前の形式的な祈りで、もしこれをしなかったら、何か悪いことが起こるのではないかという恐れもありました。

二つ目の祈りは、困った状況に陥ったときにする祈りでした。例えば、17歳のとき、私は一人でアメリカを旅行しました。ところがバス会社が、私の着替えやお金やアドレス帳の入ったリュックサックを紛失してしまい、ほとんど何もなくなってしまいました。私は10日間ヒッピーの溜まり場があるキー・ウエストで、アル中の男と一緒にテントの中で生活しました。その後、ひどい孤独感と絶望感におそわれ、それから数日間はアメリカの様々な街をさまよい歩き、夜はバスに乗って過ごしました。ある日、道を歩いているとき、私は神（信じてもいなかった神）に向かって、誰か知っている人に会わせてくださいと叫びました。それからまもなく、アリゾナ州フィニックスで早朝6時発のバスに乗ると、そこで昔の学校友だちに会ったのです。私は彼にお金を貸してもらい、それからの数日間は一緒に旅行しました。それまでの旅とは何という違いでしょう。これが祈りに対する答えだとは考えませんでした。ただの偶然だと思っていました。祈ったときにどれほど多くの素晴らしい「偶然」が起こるかが分かったのは、クリスチャンになってからです。

祈りとは何でしょうか

祈りは、私たちの生活の中で最も大切な営みです。祈りは天の父との関係を深めるおもな方法です。イエスは言われました。「あなたが祈るときは、奥まった自分の部屋に入って戸を閉め、隠れたところにおられるあなたの父に祈りなさい」(マタイ6:6)。これは儀式ではなく、むしろ関係です。機械的な心のこもらない言葉の羅列ではありません。イエスは、「異邦人のようにくどくどと述べてはならない」(マタイ6:7）と言われました。祈りは天の父との会話で、上に向かってなされるものであり、横に向けてなされる会話ではありません。

ある一人の男の子が大声で叫びました。

「神様！　どうか、どうか、誕生日に大きな箱に入ったチョコレートをください！」

それに答えてお母さんが言いました。

「そんなに大声で叫ぶことないわよ！　神様は耳が聞こえないわけじゃないんだから」。

すると男の子は言いました。

「わかっているよ。でもおじいちゃんは耳が遠いよ。

それに隣の部屋にいるんだもん」。

私たちが祈るとき、それは他の人にでも、自分自身にでもなく、神に向かって祈るのです。ですから祈りは、神との関係であり、私たちが祈るときには、三位一体の神が関わってくださるのです。

クリスチャンの祈りは「あなたの父」に向かう祈りです

イエスは私たちに「天におられるわたしたちの父よ」（マタイ6:9）と祈るように教えてくださいました。神は人格を備えた方です。もちろん神はC.S.ルイスが言うように「人格を超越」しています。人間は皆、神の似姿に造られました。人間の個性には、神の性質が反映されているのです。神は、私たちの愛する父であり、私たちは神の前に出て、神を「アッバ」と呼ぶ素晴らしい特権が与えられているのです。「アッバ」とは、アラム語で「お父ちゃん」とか「大好きなお父さん」という意味の言葉です。私たちの神との関係、そして天の父に祈ることには、驚くほどの親密さが込められているのです。

神は「私たちの父」であるだけではありません。「天におられる私たちの父」なのです。神は天の力を備えた方です。ですから私たちが祈るときには、天地を造られた創造主に向かって話しかけていることになるのです。1977年8月20日、惑星間探査機ボイジャー2号が、宇宙の天体系に関する観測データを地球に送るために、弾丸よりも速いスピード（時速144,000キロ）で打ち上げられました。1989年8月28日地球から43億2千万キロ離れた海王星に到達し、その後ボイジャー２号は太陽系を離れました。その後958,000年の間、どんな星とも一光年以内の距離に近づくということはありません。私たちの銀河系には、太陽のような星が一千億個存在すると言われています。そしてこの銀河系は一千億もある銀河系の内の一つにすぎないそうです。創世記の中には「神は･･･星を造り」（創世記1:16）とさりげなく書かれていますが、これが神の持つ力なのです。キリスト教作家であるアンドリュー･マーレーは、かつてこのように言いました。「祈りの力は、私たちがどのような方と話をしているのか、その理解の度合いによる」。

祈るとき、私たちはすべてを超越した超絶的で、かつ私たちの内に住まわれる内在的な神に向かって話をしているのです。神は、ご自身が造られた宇宙よりもはるかに偉大で力強い方であるにもかかわらず、私たちが祈るとき、共にいてくださる方なのです。

クリスチャンの祈りは
「御子」を通しての祈りです

パウロは言っています。「このキリストによって私たち両方の者（ユダヤ人と異邦人）が一つの霊に結ばれて、御父に近づくことができるのです」（エフェソ2:18）。イエスは、「わたしの名によって父に願うものは何でも」（ヨハネ15:16）父は与えてくださると言われました。私たちには神の前に出る権利はありません。しかし「イエスを通して」「イエスの名前によって」私たちは神の前に出ることができるのです。ですから、祈りの最後に「私たちの主イエス･キリストを通して」とか「イエスの御名によって」と言うのです。これは単なる決り文句ではありません。イエスによってのみ、神の前に出ることができるのだという事実を、その度に感謝しているのです。

私たちと神との間の障壁を取り除いてくださったのはイエスであり、彼の十字架上の死を通してです。イエスは私たちの大祭司です。それが、イエスの御名にこのような力がある理由です。

小切手の価値はそこに書かれている金額だけで決まるものではありません。下の欄に書かれる署名によってもその価値は決まります。私が一千万ポンドの小切手を切ったとしましょう。それは、まったく価値のないものです。でも世界で最も裕福な男と言われているビル・ゲイツが同じく一千万ポンドの小切手を切ったとしましょう。それは、額面どおり一千万ポンドの価値があるのです。私たちが天国銀行に行っても、私たちの名義の口座には何の預金もありません。私が自分の名前で行っても何もできません。しかし、イエス・キリストの口座には、尽きることのない無限の預金があるのです。そしてイエスは、これをイエスの名前を使って引き出してもよいという特権を私たちにくださったのです。

クリスチャンの祈りは「一つの霊」による祈りです　（エフェソ2:18）

私たちは、祈るのは難しいと感じます。しかし神はこのような私たちを一人ぼっちにはさせませんでした。イエスは、私たちが祈るのを助けるために、私たちの内に住むように聖霊を送ってくださったのです。パウロは言っています。「同様に、“霊”も弱いわたしたちを助けてくださいます。わたしたちはどう祈るべきかを知りませんが、“霊”自らが、言葉に表せないうめきをもって執り成してくださるからです。人の心を見抜く方は、“霊”の思いが何であるかを知っておられます。“霊”は、神の御心に従って、聖なる者たちのために執り成してくださるからです」（ローマ8:26～27）。後の章で、さらに詳しく聖霊の働きについて見ていきます。この章では、私たちが祈るときには、クリスチャンである私たちの内に住む聖霊によって、神が、私たちを通して祈っていてくださるのだということを記しておきましょう。

なぜ祈るのでしょうか

祈りはとても大切な営みです。祈るには様々な理由があります。まず、祈りは、私たちが天の父との関係を深めていく方法です。時に「神は私たちの必要をご存知なのに、なぜそれをわざわざお願いしなくてはならないのか」と言う人がいます。もしコミュニケーションがないなら、それは大した関係とは言えないのではないでしょうか。もちろん願い求めることだけが神とのコミュニケーションではありません。他の祈りの形もあります。つまり感謝の祈り、賛美、礼拝、告白の祈り、耳を傾ける祈りなどです。しかし、何かを願い求めることは、祈りの大切な一部です。私たちが神に願い求めてその祈りが答えられるのを見るとき、私たちの神との関係はさらに深まるのです。

次に私たちが祈る理由は、イエスご自身が祈り、私たちにも同じように祈るように教えられたからです。イエスの父との関係は何にも遮られることはありませんでした。イエスの生涯は、祈りの生涯でした。イエスの祈りは様々なところに記されています（マルコ1:35、ルカ6:12など）。イエスは弟子たちが祈ることを前提に「祈るときは」（マタイ6:6）と言われました。「もし祈るなら」とは言われませんでした。

さらに祈る動機を挙げれば、祈りには報いが伴う（マタイ6:6）とイエスが教えられたからです。

> 祈りによって与えられる隠された報いはあまりに多く、数えることはできません。パウロの言葉によると、私たちが「アッバ、父よ」と叫ぶとき、聖霊は、私たちの霊と共に、私たちがまさに神の子どもであるということを証しし、父である神の存在と力強い愛の確信をいただくことができるのです。神は、御顔の光を私たちに向け、私たちに神の平安を与えてくださいます。私たちの魂を新しくし、私たちの飢えを満たし、渇きを癒してくださいます。神が私たちを養子にしてくださったので、私たちはもう孤児ではありません。私たちはゆるされたので、もう放蕩息子ではありません。私たちは家に帰ってきたので、もう神と離されてはいないのです（＊35）。

最後に、祈りは私たちを変えるばかりではなく、私たちの状況をも変えます。祈りが自分の助けになり効力があるということは認めますが、祈りが状況を変えたり第三者を変えたりすることができるという考えには、哲学的な反論をとなえる人もいます。ケント大学のユダヤ教の教師、ダニエル・コーン・シャーボック氏はかつて、神はすでに未来をご存知なのだから、未来はすでに決まったものであるという論説を書きました。これに対し、タイムズ誌の宗教欄の担当者クリフォード・ロングレイが、シャー州には担保となっている土地がありますから、この地域にもあなたの憐れみの目を向けてくださいますようにお願いします。それ以外の地域については、あなたのお望みのように扱ってくださいますように。

神様、銀行の手形をすべて換金できますように。私に借金している人が皆、善人でありますように。客船マーメイド号が、どうぞ無事に航海を終えて帰港することができますように。なぜなら、私がこの船の保険の支払い元だからです。また、神様、あなたは悪者の日の数は少ないと御言葉を通して語られましたが、この通りにしてくださると信じています。このお約束を決してお忘れになることがないようにお願い致します。なぜなら、あの若い浪費家J.L氏の土地を、彼の死後受けとることができるように、復帰不動産として購入したからです。

私の友人たちを乗せた客船が沈みませんように。また、私も泥棒や強盗に会うことがありませんように。私のすべての召使たちが皆正直で、忠実で、私の興味に気を配り、いついかなるときも私の所有物を横領するようなことがありませんように。

聖書にある、祈りは答えられるという約束には制限があるという理由がこれで分かるでしょう。例えば、ヨハネは「何事でも**神の御心に適うことを**わたしたちが願うなら、神は聞き入れてくださる」（Ｉヨハネ5:14、強調筆者）と記しています。神を知れば知るほど、神の御心がよく分かるようになり、より多くの祈りが答えられるようになるのです。

時に、私たちの求めているものが私たちにとって良いものではないために、祈りが答えられないこともあります。神は私たちに「良い物」（マタイ7:11）をくださる

正確に応答しています。「もし神が永遠の現在に生きているなら、神はすべての祈りを同時に聞くことになる。従って、神は翌週の祈りを先に聞かれ、一ヶ月前の出来事に当てはめることも可能である。ある出来事の後にされた祈りが、それが口にされる前に答えられ、その出来事が実際に起こる前に考慮されるということもありうる」。これを言いかえると、神は衝突事故寸前の運転手の一瞬の祈りに、時空を超えて答えられるということです。

イエスは私たちに、求めなさいと何度も勧めました。イエスは言われました。「求めなさい。そうすれば、与えられる。探しなさい。そうすれば、見つかる。門をたたきなさい。そうすれば、開かれる」（マタイ7:7～8）。

クリスチャンは皆、神は祈りに答えてくださるということを経験から知っています。祈りに対する答えを基にしてキリスト教を証明しようとすることはできません。なぜならこれらは簡単に偶然として片づけられてしまうことが多いからです。しかし答えられた祈りの積み重ねが私たちの神への信仰を強めてくれます。私は祈りの日記をつけています。毎日、毎週、毎年、神が私の祈りにどれほど答えてくださったかを見るのは、感動です。

神はいつも祈りに答えてくださいますか

先に引用したマタイによる福音書7章7～8節や、その他多くの新約聖書の御言葉によると、神が祈りに答えてくださるという約束は絶対的に思えます。しかし、聖書全体を見ると、私たちが求めるものがいつも与えられるわけではない理由が分かります。

告白されていない罪は、私たちと神との間の壁となります。「主の手が短くて救えないのではない。主の耳が鈍くて聞こえないのでもない。むしろお前たちの悪が、神とお前たちとの間を隔て、お前たちの罪が神の御顔を隠させ、おまえたちに耳を傾けられるのを妨げているのだ」（イザヤ59:1～2）。神は、神との関係に生きていない人の祈りに答えるとは約束していません。神は、まだ信仰を持っていない人の祈りに恵み深く答えてくださることもときにはあります。（この章の冒頭に記した私の例です）。しかし、それを期待する権利はないのです。「祈りが神様に届いていないように感じます。そこにだれもいないかのように思えるのです」と言う人がいるときは、十字架上のキリストを通して神のゆるしを受けとったことがあるかどうかを、まず尋ねることにしています。神に私たちの祈りを聞いて答えてもらうことを期待するには、神との間にある障壁が取り除かれなければなりません。

クリスチャンであっても、神との親しい関係は罪や不従順によって壊されることがあります。ヨハネは言っています。「愛する者たち、わたしたちは心に責められることがなければ、神の御前で確信を持つことができ、神に願うことは何でもかなえられます。わたしたちが神の掟を守り、御心に適うことを行っているからです」（Iヨハネ3:21～22）。もしも神に対する罪や不従順があると私たちが気づいているなら、それを告白してそれに背を向ける必要があります。これにより、神との関係を回復し、再び自信を持って神に近づくことができるようになるのです。

祈りの動機も、私たちが求めているものを得るのに妨げとなりえます。新しいポルシェが欲しいという祈りが

常に答えられるというわけではないのです！　イエスの兄弟であるヤコブは、次のように書いています。

> あなたがたは、欲しても得られず、人を殺します。また、熱望しても手に入れることができず、争ったり戦ったりします。得られないのは、願い求めないからで、願い求めても、与えられないのは、自分の楽しみのために使おうと、間違った動機で願い求めるからです（ヤコブ4:2～3）。

間違った動機による祈りの例として有名なものは、18世紀に書かれたハックニー地方（ミドルセックス州）のジョン・ワード氏の祈りです。

> 神様、あなたは私がロンドン市内に九つの屋敷を所有していること、さらには最近エセックス州に領地を購入したことをご存知です。どうかエセックス州とミドルセックス州を火事や地震からお守りくださいますよう、切に祈ります。ハートフォード

と約束しておられるのです。神は私たちを愛しておられ、私たちにとって何が最善かをご存知です。良い親というのは、いつも子どもたちが望むものを与えるとはかぎりません。もし5歳の子どもが肉切り包丁で遊びたいと言ったら、良い親は「だめ！」と言うでしょう。もし私たちが、ジョン・ストットが書いたように「それ自体が良くないものか、もしくは、私たち自身や他の人にとって良くない結果をもたらすもの」を求めるときには、神も「ノー」と言われます。

私たちの祈りに対する神の答えは「イエス」か「ノー」か、時には「待ちなさい」です。そしてこのことに私たちは感謝しなくてはなりません。もし常に願う通りになるのなら、私たちは再び祈ることは決してしないでしょう。説教者のマーティン・ロイド・ジョーンズは次のように言っています。「神様は、私が思いつきで願うことに対しては何もなさらないことを感謝しています。神様は、私が求めたいくつかの願いに答えることなく、目の前でドアをぴしゃりと閉められたことを本当に神様に感謝しているのです」(＊36)。クリスチャンとなってしばらくたつ人はだれでも、彼と同じような思いを抱いていることでしょう。ルース・グラハム（ビリー・グラハム夫人）は、ミネアポリスで観衆に言いました。「神様は、私の祈りにいつも答えてくださったわけではありませんでした。もしそうだったら、私は間違った人と結婚してしまっていたでしょう。しかも、何回も」。祈りの答えが「ノー」だった理由は、生きている間には分からないかもしれません。親しい友人のミック・ホーキンズとスカッシュをしていた1996年のある日のことを私は思い出します。ミックは42歳で、6人の子どもがいました。ゲームの最中に彼は突然心臓発作のために倒れ、死んだのです。このときほど神に叫び求めたことはありませんでした。どうか彼をいやし、回復させ、この発作が彼の命を奪うことがないようにと祈りました。彼がなぜ亡くなったのか分かりません。

その晩はもちろん眠れませんでした。翌朝早く散歩に出たとき、主に言ったのです。「なぜ、ミックが死んだのか分かりません。彼は本当に素晴らしい人だった。素晴らしい夫であり、父親でした。なぜミックが･･･」。そのとき、私には二つの選択があることに気づきました。一つは、「信じることをやめます」と言う選択、もう一つは「理由が分からないという事実にかかわらず信じ続けます。主よ、このような出来事が起こった理由は、私の生きている間に理解できないかもしれませんが、あなたを信頼し続けます」と言う選択です。

神の御心を知り、なぜ私たちが望んでいたような祈りの答えが得られなかったのかという理由を知るためには、神と顔と顔を合わせるまで待たなければならないこともあるでしょう。

どう祈ればよいのでしょうか

祈りには決まった形というものはありません。祈りは私たちと神との関係の中で欠くことのできない重要な部分です。ですから、神に自由に語りかけてよいのです。でも、神は意味のない言葉をくり返すことは望まれません。神は、私たちの心の中にあることを聞きたいと望んでおられるのです。とはいえ、多くの人にとって、ある決まった祈りのパターンが祈りの助けになっていることも確かです。私はここ数年、覚えやすいように、ACTS

の順番で祈る方法を用いてきました。

Adoration　（賛美）
　神がどういう方か、また神がしてくださったことに対して神を賛美します。
Confession　（告白）
　神に今までの過ちを告白し、神のゆるしを求めます。
Thanksgiving　（感謝）
　健康、家族、友人などのことで神に感謝します。
Supplication　（願い）
　自分自身のことや友人のことやその他の人のことを祈ります。

　最近、私はよく、主の祈り（マタイ6:9〜13）に沿って祈っています。

「天におられるわたしたちの父よ」（9節）
　すでにこの章で、この節の意味をみてきました。この節のもとでは、神が素晴らしい方であること、神と関係を持つことができることを感謝します。そして神の方法をもって神が祈りに答えてくださったことを神に感謝します。

「御名が崇められますように」（9節）
　ヘブライでは、人の名前はその人の人格を表しました。神の御名が崇められるように祈ることは、神が崇められるようにと祈ることです。私たちの社会を見回すと、多くの場合、神の御名が傷つけられています。多くの人が神にも神の掟にも無関心です。私たちはまず、教会でも、私たちの周りの社会でも、神の御名が崇められるように祈ることから始めなくてはなりません。

「御国が来ますように」（10節）

神の御国とは、神の支配と統治のことです。これは、イエスが再び来られるときに完成します。しかしこの神の御国は、イエスがこの世に来られたときからすでに始まっているのです。イエスは神の御国の存在を、ご自身の働きを通して示されました。私たちが「御国が来ますように」と祈るときには、現在も未来も神の支配と統治がもたらされるよう祈っているのです。この中には、イエスを知らない人がイエスに出会い、いやされ、悪の力から解放され、聖霊に満たされ、聖霊の賜物を与えられ、それにより、私たちが互いに仕えあい、王である神に従っていくことができるようにという祈りが含まれています。

D.L.ムーディーは、自分が生きている間にイエスに出会って欲しい人、100人の名前を書き出して祈っていました。このうち96人が、ムーディーが亡くなる前にイエスに出会い、残りの4人は、彼の葬儀のときにイエスを受け入れたとのことです。

あるクリスチャンの母親が、反抗的だった10代の息子のことで悩んでいました。息子は怠け者で、怒りっぽく、人をだまし、うそをつき、盗みもしました。後に、彼は外面的には尊敬される弁護士になりましたが、彼の人生は世俗的な野望に満ち、金銭的欲望に支配されていました。彼は身持ちが悪く、何人もの女性と同棲し、その内の一人との間に息子もいました。ある時期には、彼はカルト的宗教団体に入り、奇妙な慣習に従っていました。この間ずっと、彼の母親は彼のために祈り続けていました。ある日、主は、一つの幻を彼女に見せられ、彼女は祈りながら泣いていました。なぜなら、彼女は、息子の内にイエス･キリストの光が輝き、彼の顔が変容しているのを見たからです。彼女は、息子が32歳でイエス･キリストに出会うまでには、それから9年も待たなければなりませんでした。この息子の名前はアウグスティヌス。彼は教会史上、最も優れた神学者の一人となりました。彼は、自分の回心は母親の祈りのおかげであるといつも言っていました。

私たちは単に、個人の人生において神の支配と統治があるように祈るだけではありません。究極的にはこの社会が変えられることを祈っているのです。私たちは、神の平和と正義と憐れみがあるようにと祈ります。私たちは社会からは忘れられ、でも神が特に心にかけておられる、未亡人や孤児、孤独な人や囚人のために祈るのです（詩編68:4〜6）。

「御心が行われますように、天におけるように地の上にも」（10節）

これは意思を放棄するという意味ではありません。私たちが抱えている重荷を明け渡すということです。多くの人は決断を前にして不安を覚えます。この決断は、重大なものかもしれません。あるいは小さなことかもしれません。どちらにしても間違った決断をしないために、私たちは「御心が行われますように」と祈らなければなりません。詩編の作者は、「あなたの道を主にまかせよ。信頼せよ、主は計らってくださる」と言っています（詩編37:5）。例えば、ある人との関係が正しいものであるのかどうかを祈っているとします。「もし、この関係が間違っているなら、神様どうかやめさせてください。もし、この関係が正しいものなら、この関係を妨げるものが何もないようにお願いします」と祈るのです。神にこの関係を委ねることにより、神を信じ、神が働かれるのを待ち望むことができるのです。(このことについては、更に詳しく次の章で見ていきます。そして次の章にある原則を考慮に入れる必要があります)。

「わたしたちに必要な糧を今日与えてください」(11節)

イエスが、聖餐での霊的なパンや聖書を意味してこう言われたと言う人がいます。それも考えられることですが、宗教改革者たちが言っているように、ここでイエスが言われるのは、基本的に必要な物事のことであるという意見に私は賛成です。マルティン・ルターは、糧とは「私たちの生活(命)を維持していくために必要なすべてのもの。それは、食べ物、健康なからだ、よい天候、家、家庭、妻、子ども、良い政府、そして平和」と言っています。私たちにとって大切なことは、神にとっても大切なものなのです。自分の子どもたちには、心配事があれば何でも話して欲しいと願っているのと同じように、神も私たちの心配事を聞きたいと願っておられるのです。

私の友人が、新しくクリスチャンになった人に、仕事はうまくいっているかと聞きました。あまりよくないと彼女が答えたので、友人は、仕事のことを祈りましょうと言いました。すると新しくクリスチャンになったこの女性は「そんなことについて祈ってもいいとは知りませんでした」と言いました。私の友人は、仕事のために祈ってもよいということを説明し、共に祈りました。すると翌週になって、彼女の仕事は大幅に好転したのです。主の祈りは、神の御名、神の国、神の御心を第一にするとき、私たちが自分の必要のために祈ることは間違いではないことを教えてくれます。

「わたしたちの負い目を赦してください、わたしたちも自分に負い目のある人を赦しましたように」（12節）

イエスは、私たちの負い目（間違った行い）をゆるしてくださいと神に祈るように教えてくださいました。「なぜ、ゆるしを求める祈りをしなければならないのか。私たちが十字架のもとに来るときに、すでに現在、過去、未来のすべてはゆるされているのではないのか」と言う人がいます。その通りです。「イエスの死とは？」の章で、イエスが十字架の上で私たちのすべての罪を負ってくださったので、過去、現在、未来のあらゆることは完全にゆるされているということを見てきました。しかし、それでもイエスは私たちに、「負い目を赦してください」と祈るようにと言われるのです。これを最も分かりやすく説明しているのが、ヨハネによる福音書13章でイエスがペトロの足を洗うために彼に近づいたときの二人の会話です。ペトロは言いました。「わたしの足など、決して洗わないでください」。イエスは答えて言われました。「もしわたしがあなたを洗わないなら、あなたはわたしと何のかかわりもないことになる」。そこでペトロが「主よ、足だけでなく、手も頭も」と言うと、イエスは言われました。「既に体を洗ったものは、全身清いのだから、足だけ洗えばよい」これが、ゆるしの理解です。十字架のもとに来るときに、私たちは完全に清められ、ゆるされ、すべてのことが取り扱われるのです。しかし、この世の中で生きていくうちに、私たちは、神との友情を曇らせるようなことをするのです。私たちと神との関係はいつも揺るぎないものですが、その友情関係は、私たちの足についた泥で汚されてしまうことがあるのです。毎日私たちは「神様、ゆるしてください。この汚れから私たちを清めてください」と祈る必要があります。もう一度、全身をきれいにするためにお風呂に入る必要はありません。それはすでにイエスが私たちのためにしてくださいました。しかし、毎日、ある程度きれいにすることは必要なのです。

イエスは続けて言われました。「もし人の過ちを赦すなら、あなたがたの天の父もあなたがたの過ちをお赦しになる。しかし、もし人を赦さないなら、あなたがたの父もあなたがたの過ちをお赦しにはならない」(マタイ6:14〜15)。これは、他の人をゆるすことによって、自分たちのゆるしが得られるということではありません。私たちは、決して自分の力ではゆるしを得ることはできないのです。イエスが、私たちのために十字架上でゆるしを達成してくださったのです。しかし、私たちがゆるされているというしるしは、他の人たちを喜んでゆるすことに現れます。もし、私たちが他の人を喜んでゆるすことができないのなら、それは、自分自身がゆるしを知らないという証拠です。もし神のゆるしを本当に知っているなら、私たちはだれか他の人に対するゆるしを拒否することはできないのです。

「**わたしたちを誘惑に遭わせず、悪い者から救ってください**」(13節)

神が私たちを誘惑することはありません(ヤコブ1:13)。しかし、神は私たちが悪魔の試みにどの程度遭うかをコントロールしておられます(ヨブ1〜2章)。どんなクリスチャンも恐れや、自己中心的な野心、どん欲、プライド、肉欲、悪口、批判などの弱点があります。もし自分自身の弱点を知っていれば、それに対して保護を願う祈りをすることができます。また、もちろん、不必要な誘惑を避ける行動もとれるのです。これについては、11章で見ていきます。

いつ祈ればよいのでしょうか

新約聖書では、私たちが「いつも」（Ｉテサロニケ5:17、エフェソ6:18）祈るように勧めています。祈るために、どこか特別な場所に行く必要はありません。地下鉄の中、バスの中、車の中、自転車に乗っているとき、道を歩いているとき、ベッドに横になっているとき、真夜中に、いつでもどこでも自分のいる場所で祈ることができるのです。親しい人間関係でも同じですが、私たちは常に会話をし続けることができます。そしてただ話すためだけに一緒にいる時間をもつことはとても大切です。イエスは言われました。「あなたが祈るときは、奥まった自分の部屋に入って戸を閉め、隠れたところにおられるあなたの父に祈りなさい」（マタイ6:6）。イエスご自身も、祈るために人里離れた場所に行かれました（マルコ1:35）。私は頭が一番はっきりしている一日の始めに、聖書を読み、祈る時間を持つことがとても役に立つことが分かりました。これを日課にするとよいでしょう。一日のどの時間をそれに充てるかは、それぞれの置かれた立場や状況によって違うでしょう。

一人で祈ることと同様に、他の人と共に祈ることも大切です。例えば二、三人という小さなグループでもよいでしょう。イエスは言われました。「また、はっきり言っておくが、どんな願い事であれ、あなたがたのうち二人が地上で心を一つにして求めるなら、わたしの天の父はそれをかなえてくださる」(マタイ18:19)。他の人の前で声に出して祈ることは大変なことかもしれません。私は、最初に人前で声に出して祈ったときのことをよく覚えています。イエスに出会ってから二ヶ月くらいたったときのことでした。二人の親友と一緒にいたのですが、しばらくの間共に祈ろうということになったのです。私たちはほんの10分ほど祈っただけでしたが、シャツは汗でびっしょりになってしまいました！　しかし、この緊張に耐える価値は充分にあります。なぜなら、共に祈ることには、偉大な力があるからです（使徒12:5）。

祈りはキリスト教の中心にあります。なぜならキリスト教の中心は、神との関係だからです。だからこそ、祈りは私たちの生活の中で最も重要な営みと言えるのです。次のような格言があります。

> 悪魔は、私たちの言葉をあざ笑い
> 私たちの労苦をばかにする。
> しかし、私たちが祈るとき、
> 悪魔は震えおののくのだ。

7

神の導きとは？

私たちは皆人生において決断をしなければなりません。神との関係や人間関係、結婚、子どもたち、時間の使い方、仕事、家、お金、休暇、持ち物、与えることなど、様々な選択に直面します。大きな決断もあれば、小さな選択もあります。多くの場合、 — 例えば結婚相手を選ぶときなど —、正しい決断をすることは、このうえなく重要なことです。私たちは神の助けが必要です。

導きは、私たちと神との関係から生じます。神は、神と共に歩む人に、導きを与えると約束しています。神は、「わたしはあなたを目覚めさせ、行くべき道を教えよう」（詩編32:8）と言われます。イエスは弟子たちを導き、案内すると約束しました。「羊飼いは自分の羊の名を呼んで連れ出す。･･･羊はその声を知っているので、ついて行く」（ヨハネ10:3～4）。イエスは私たちに、神の御心を悟ってほしいと切望しています（コロサイ1:9、エフェソ5:17）。私たち一人ひとりを個人として心にかけ、愛しておられるイエスは、人生の大きなことばかりでなく、小さなことについても、何をすべきか、私たちに語りたいと願っているのです。

神は私たちの人生に計画を持っています（エフェソ2:10）。時々、「私の人生に神様の計画があったほうがいいのかどうか分からない。神様の計画って、良いものなのだろうか」と心配する人がいますが、恐れることはありません。神は私たちを愛し、私たちの人生に最高のものを与えたいと願っておられるのですから。パウロは、私たちの人生のための神の御心は「善いことで、神に喜ばれ、また完全なこと」(ローマ12:2) と言っています。神は預言者エレミヤの預言を通して、ご自分の民に言われました。「わたしは、あなたたちのために立てた計画をよく心に留めている、と主は言われる。それは平和の計画であって、災いの計画ではない。将来と希望を与えるものである」(エレミヤ29:11)。

「わたしがあなたの人生に、本当に素晴らしい計画を用意しているのに、あなたは気づかないのか。とても素晴らしいものを用意しているのだよ!」と神は言っておられるのです。これは、人びとが神の計画に従わなかったために陥ってしまった混乱状態を見た、主の心からの叫びです。私たちの周りには、泥沼の人生を送っている人たちがたくさんいます。キリストを信じるようになった後に、多くの人がこう言います。「あと5年か10年早くクリスチャンになっていればよかったと思います。今のこの生活を見てください。ひどいものです」。

私たちのための神のご計画が分かったら、それについて神に尋ねる必要があります。神に相談せずに計画を実行することについて、「災いだ、背く子らは、と主は言われる。彼らは謀(はかりごと)を立てるが、わたしによるのではない。・・・彼らは**わたしの託宣(たくせん)を求めず**、エジプトへ下っていき」(イザヤ30:1~2、強調筆者)と神は警告を与えておられます。もちろん、天の父の御心を行なう究極の模範はイエスです。イエスは常に「聖霊に導かれ」(ルカ4:1、新改訳) て、父なる神のなさることを見て、それだけを行いました(ヨハネ5:19)。

私たちが失敗をするのは、神に相談することを怠ったからです。私たちは計画を立て、「これをしたいけれど、神が望んでいるかどうか分からない。神が私に望んでいない場合を考えて、今回は神には聞かないでおこう」と考えるのです。

神は、自分のやり方が正しいと主張するときよりも、神の御心を行なう準備が整っているときに、私たちを導いてくださいます。詩編の作者は「裁きをして貧しい人を導き」（詩編25:9）、「主を畏れる人に主は契約の奥義を悟らせてくださる」（詩編25:14）と言っています。神は、マリアのような態度の人びとを導かれるのです。つまり、「わたしは主の召使にすぎません。何もかも主のおいいつけどおりにいたします。どうぞいま言われたとおりになりますように」（ルカ1:38、リビングバイブル）と言ったイエスの母マリアの態度です。神の御心を行なう心構えができた瞬間から、神は、私たちの人生へのご計画を明らかに示し始めてくださるのです。

私はことあるごとに、「あなたの道を主にまかせよ。信頼せよ、主は計らい」（詩編37:5）という詩編の御言葉を読み返します。私たちがすることは、主にその決定を委ねて、主を信頼することです。それをしたら、私たちは、主が働かれるのを期待をもって待ち望むことができるのです。

大学生活の終わりごろ、私と同じ時期にクリスチャンになったニッキーという友人が、クリスチャンではない女性とかなり深く付き合うようになりました。彼は、キリストへの信仰を分ち合えないなら、彼女と結婚するのは正しいことではないと感じていました。でも、彼女にプレッシャーをかけたくなかったので、詩編作者が言うように、主に委ねることにしたのです。実際、彼は次のように祈りました。「主よ、もしこの関係が正しいものでないなら、どうかこの関係を終わらせてください。もし正しいものなら、春の学期の最終日までに彼女がクリスチャンになるようにしてください」。彼はこう祈ったことも、この日付のことも、彼女にも誰にも言いませんでした。「主を信頼し」、神が働いてくださるのを待っていたのです。いよいよ春の学期の最終日になりました。その晩二人は、あるパーティーに行きました。深夜12時をまわろうとするころ、彼女はドライブに行きたいと言い出し、二人は車に乗りました。彼女はふざけて、思いつくままでたらめな行き先を言いました。「三つ目の角を左、三つ目の角を右、そのまま3マイルまっすぐ行って、そこで止めてちょうだい」といった具合です。彼も調子を合わせて、言われるままに車を走らせました。そうこうするうちに、行き着いたのはアメリカ人墓地でした。墓地の真ん中には大きな十字架が一つ、たくさんの小さな十字架に囲まれて立っていました。彼女は、十字架のシンボルに驚き、深く感動しました。神が彼女の思いつきの指示を使って、彼女の注意を神に向けさせようとしていた事実に、心がいっぱいになり溢れる涙を止めることができませんでした。そのすぐ後で、彼女はキリストを信じるようになったのです。二人は幸せな結婚をして何年もたちますが、今でもこのことを思い出し、この晩、神の御手が自分たち二人の上にあったことに深く感謝しています。

神が私たちにして欲しいと願っておられることを喜んでするとき、神はどのような方法で私たちに語りかけ、私たちを導いてくださるのでしょうか。神の導きには様々な方法があります。しばしば神は、次のような方法の一つを通して語られます。時にはいくつかを組み合わせた方法で語られます。それが重要な決断である場合には、すべての方法を使って語られるかもしれません。これらの方法は、５つの“CS"と呼ばれることがあります。

聖書の命令
(Commanding Scripture)

すでに見てきたように、あらゆる状況の、あらゆる場所の、あらゆる人びとへの神の普遍的な御心は、聖書の中に明らかにされています。あらゆる事柄に関する神の思いを、神はすでに語られたのです。聖書から私たちは、ある特定の事柄が間違っていると知ることができます。従って、神がそのように導くことはないと確信できます。結婚している人が、「この人と恋に落ちてしまいました。私たちはお互いに深く愛し合っているのです。神が私に、離婚してこの人と新しい関係を築くように導いているのを感じます」と言うことがあります。しかし、神は御心をすでに明らかにしておられます。「姦淫してはならない」(出エジプト20:14）と。神が姦淫をするように私たちを導くことはないと、確信をもてるのです。

所得税を払わないでお金を貯めるようにと神からの促しを感じると言う人が時々います。しかし、神は、払わなければならない税金などを支払うようにとはっきり言われました（ローマ13:7)。こうした様々なことにおいて、神は普遍的な御心を明らかにされました。すでに与えられた導きに関しては、求める必要はありません。しかしはっきりしない場合には、そのことがすでに聖書に書かれているかどうか、自分よりも聖書のことをよく知っている人に尋ねる必要があるでしょう。それが聖書にすでに書かれているということが分かれば、もうそれ以上探す必要はありません。
　神の普遍的な御心は聖書に明らかになっていますが、私たちの人生の特定の事柄に関する神の御心は、聖書の中にいつも見つけられるわけではありません。聖書によると、人が結婚するのは神の普遍的な御心です。独身で生涯を通すのも崇高な召命ですが、これは規則というよりはむしろ例外的なケースです（例：Ⅰコリント7:2）。聖書には、クリスチャンは「信仰のない人びとと一緒に不釣合いなくびきにつながれてはなりません」（Ⅱコリント6:14）と書いてありますが、だれと結婚すべきかは書かれていないのです！
　聖書に関する章で見たように、神は今日でも聖書を通して語っておられます。聖書を読んでいるときに、私たちに語られるかもしれません。詩編の作者は「あなたの定めは･･･わたしに良い考えを与えてくれます」（詩編119:24）と言っています。これは、聖書を思いつきで開き、そこを読んだら神の御心が分かるということではありません。むしろ規則的、体系的な聖書研究を通して、毎日読む聖書の個所が、そのときの自分の特定の状況にぴったりだということに驚かされるでしょう。
　時には、ある一節がページから飛び出して見えることもあります。そして、神がその御言葉を通して語っておられることが分かるのです。これは私個人の体験ですが、私が仕事をやめて献身するようにと呼ばれているのを感じたのも、この方法を通してでした。聖書を読んでいるときに、神が語られたと感じたときには、それをノートに書きとめておきました。少なくとも15回の異なった状況で、神は、私が弁護士の仕事をやめ、英国国教会の聖職者となる訓練を受けるように、聖書を通して私に語られたのです。

聖霊の強いうながし
(Compelling Spirit)

導きとは非常に個人的なものです。クリスチャンになると、神の霊が私たちの内に住んでくださいます。そのとき、神は私たちとコミュニケーションをとり始めてくださるのです。私たちは、神の御声を聞くことを学ばなければなりません。イエスは、ご自分の羊たち(弟子たち)はその声を聞き分ける（ヨハネ10:4～5）と言われました。親友からの電話は、声を聞いただけでだれだか分かります。あまりよく知らない人からの電話だと、だれからか分からないし、分かるのに少し時間がかかります。イエスを知れば知るほど、イエスの御声をより聞き分けやすくなってくるのです。

例えば、パウロとその仲間たちがビティニア州に入ろうとしたとき、「イエスの霊がそれを許さなかった」(使徒16:7)ことがありました。そこで彼らは別の道を行ったのです。実際どのようにしてイエスの霊が彼らに語られたのかは分かりませんが、数ある方法の内の一つを通して語られたのだと思います。

神がご自身の霊によって語られる三つの方法をここに挙げます。

1.　祈るときに神は語ってくださいます

祈りは一方通行ではありません。例えば病院に行って医者にこう言ったとしましょう。「先生、たくさん悪いところがあるのです。足は水虫にやられ、痔にもなって、目も痒いし、インフルエンザの予防注射もしてほしいのです。腰がひどく痛むし、テニス肘にもなってしまいました」。すべての症状を訴えた後、時計に目をやって「あら大変、こんな時間になってしまった。もう行かなくてはなりません。聞いてくださってありがとう」と言ったとします。医者はきっと、「ちょっと、待ちなさい。なぜ、あなたは私の言うことを聞こうとしないのですか？」と言うでしょう。私たちが祈るときに、ただ神に話しかけるだけで、聞こうとする時間を持たないなら、これと同じ間違いをしていることになります。聖書には、神が民に向かって語っている場面があります。例えばあるとき、クリスチャンたちが主を礼拝し断食していると、聖霊が次のように告げられました。「『さあ、バルナバとサウロをわたしのために選び出しなさい。わたしが前もって二人に決めておいた仕事に当たらせるために』。そこで彼らは断食して祈り、二人の上に手を置いて出発させた」（使徒13:2）。

聖霊が実際にどのように語られたのかは分かりませんが、彼らが祈っている中で彼らの心にこの思いが与えられたのだと考えられます。これも神が語られる一般的な方法です。これを「印象」とか「直感的な確信」と表現する人もいます。聖霊はこれらの方法すべてを通して語られることが可能なのです。

もちろんこれらの考えや思いは識別する必要があります（Ⅰヨハネ4:1）。その印象は聖書に沿っていますか。それは愛をはぐくむものですか。もしそうでないなら、それは愛である神から来たものではありません（Ⅰヨハネ4:16）。それは、強め、励まし、慰めるものですか（Ⅰコリント14:3）。その決心をしたとき、神の平安がありますか（コロサイ3:15）。

2.　神は、何かを行いたいという強い願いを私たちに与えることによって語りかけることもあります

「あなたがたのうちに働いて、**御心のままに望ませ、**行わせておられるのは神であるからです」（フィリピ2:13、強調筆者）。私たちが自分たちの意志を神に明け渡すとき、神は私たちの内に働かれ、私たちの願いそのものを変えてくださるのです。私自身の経験から言いますと、クリスチャンになる前に最もなりたくなかったのは、英国国教会の聖職者の職につくことでした。しかし、キリストに出会い、「神が望まれることを喜んでします」と言ったとき、私は自分の願いが変わっていることに気づいたのです。今では、これ以上にすばらしい特権、これ以上に充実感のある仕事は想像もできません。

時々、人びとは最もしたくないことを想像し、まさにそれを神がやらせようとするのではないかと憶測するのです。神はそのような方ではありません。ですから「もしクリスチャンになったら、神は私を宣教師にさせるのではないか」と恐れないでください。もし神があなたにそれを望まれているなら、そして、あなたが自分の意志をすでに神に明け渡しているなら、神はあなたに、それをしたいという強い願いを与えられるでしょう。

3. 時に神は特別な方法で導きます

聖書には、神が個人を劇的な方法で導く多くの例が書いてあります。サムエルがまだ少年のとき、神はサムエルが実際に耳で聞こえる声で語られました（Ⅰサムエル3:4～14）。神は、アブラハム（創世記18章）とヨセフ（マタイ2:19）とペトロ（使徒12:7）を、天使を通して導かれました。旧約聖書でも新約聖書でも、神はしばしば預言者を通して語っておられます（例：アガボ　使徒11:27～28、21:10～11）。神は幻を通しても導かれます。（今日では「絵」とか「ビジョン」と表現することもあります）。例えば、ある晩、神はパウロに幻を通して語られました。パウロは、マケドニア人が立っていて「マケドニア州へ渡って、わたしたちを助けてください」と彼に頼んでいる姿を見たのです。当然のようにパウロと弟子たちは、これは神がマケドニアに渡って福音を伝えるように導いているのだと解釈しました（使徒16:10）。

神が夢を通して導かれたという例もあります（例：マタイ1:20、2:12～13,22）。私はあるとき、友人夫婦のために祈っていました。ご主人は最近キリストを信じるようになったばかりでした。奥様はとても知的な方でしたが、ご主人に起こったことに対して強く反対していました。彼女は私たちに対しても少し反感を抱くようになりました。ある晩私は、彼女の顔がすっかり変わり、目には主を知る者の喜びが満ちている姿を夢で見たのです。この夢によって励まされ、私たちは祈り続け、このご夫婦と親しくし続けたのです。数ヵ月後、彼女はキリストを受け入れました。彼女を見るとその顔は数ヶ月前に私が夢で見た顔でした。

これらはすべて、神がかつて人びとを導かれ、今日でも同じように私たちを導いておられる方法です。

常識
(Common Sense)

クリスチャンになるということは、常識を捨てるということではありません。詩編の作者は警告しています。「分別のない馬やらばのようにふるまうな。それはくつわと手綱で動きを抑えねばならない」（詩編32:9）と。新約聖書を書いた人びとは、よく考えるようにと私たちに勧め、頭を使わないようにとは一度も言っていません（例：Ⅱテモテ2:7）。

常識を捨ててしまうと、私たちは愚かな状況に陥ってしまうでしょう。『神を知る』という著作の中で、J.I.パッカーは、ある女性の例を挙げています。この女性は、毎朝目覚めるやいなや主にその日を献げ、「今、起きるべきですか」と主に尋ね、起きて着替えなさいという神の声が聞こえるまで動かなかったそうです。

身支度を整えるときに、彼女はいちいち神に、その服を身につけてよいかどうか尋ね、多くの場合、主は、右の靴だけ履いて左は履かないでおくようにとか、ストッキングは両方履いてよいが、靴は履かないでおくようになどと語るというのです。靴やストッキングだけでなく、身につけるものすべてに関してこのような具合でした（＊37）。

神が導いてくださるという神の約束は、私たちが、「考える」という緊張を避けるために与えられたのではありません。メソジスト教会の創始者ジョン・ウェスレーは、何か行動をするときに、**多くの場合**、神は、まずその理由を心に示すという方法で彼を導かれた、と言っています。これはすべての領域で、特に結婚や仕事などでは非常に大切なことです。

常識は、生涯の伴侶を選ぶ際にも考慮に入れなければならない要素の一つです。少なくとも、大切な三つの領域について見るのが常識でしょう。

まず、第一に、二人は霊的に調和がとれているでしょうか。パウロは、クリスチャンではない人と結婚することの危険性を忠告しています（Ⅱコリント6:14）。実際、二人のうちの一人がクリスチャンでなければ、多くの場合、その結婚生活には大きなストレスが生じます。クリスチャンは、伴侶に仕えたいという気持ちと主に仕えたいという願いの間で板ばさみになってしまうのです。しかし、霊的な調和ということは、ただ単に二人がクリスチャンであるという以上の意味なのです。それは、お互いが相手の霊性を尊重するという意味で、単に「二人ともクリスチャンだからこれで合格」というような問題ではないのです。

第二に、二人は人間として調和がありますか。

当然のことながら、私たちの結婚相手は大変よい友だちであると同時に、多くの共通点を持っている間柄であるべきです。結婚前に性交渉を持たないことの多くの利点の一つは、それによって、共通の場を持つことに二人が集中することができ、二人の人間的な一致があるかどうかを見極めやすいことです。二人が交際を始めた初期の段階では、しばしば性的な側面が支配することがあるのです。もしも、二人の関係が友情という土台に基礎が築かれていなかったら、初めに感じる性的な興奮が色あせてきたときには、夫婦の関係はとても壊れやすいものとなってしまいます。

第三に、二人は肉体的にも調和があるでしょうか。

ここで私が意味しているのは、二人が肉体的にもお互いに惹かれあっているかどうかということです。霊的に、また感情的に合っているだけでは充分ではありません。肉体的にも二人が合わないと、結婚はうまくいきません。世俗の世界では、しばしばこれを一番最初に考えますが、優先順位では、これは最後にきます。世間ではよく、性的に合っているかどうかを見るために、結婚する前に性的関係をもっておくことが必要だと言います。これはまったく間違っています。生物学的にも、性行為が不具合ということは稀ですから、試すことは意味がないのです。ですからこれは考慮に入れません。

重ねて言いますが、仕事に関して神の導きを求めるときにも、常識は不可欠です。一般的なルールとしては、神が何か他のことに私たちを招かれるまでは、今の仕事（もし今仕事を持っているのなら）に留まるべきです（Ｉコリント7:17～24）。仕事やキャリアに関する神の御心を求めるとき、人生を長い目で見るのが常識といえるでしょう。10年先、15年先、20年先を見て、「今のこの仕事を続けていくと、自分はどうなるか。長い目で見て、私はそこに行きたいか。あるいは人生の目標は、何か違うものか。その場合、そこに到達するために、今どこにいるべきか」と自分に問いかけるのは、賢明なことです。

クリスチャンの助言 (Counsel of the Saints)（＊38)

聖書の中の箴言は、賢い助言を求める上で、たくさんの訓戒にあふれた書です。筆者は「知恵ある人は勧めに聞き従う」(箴言12:15) と言っています。「相談しなければどんな計画も挫折する」と忠告している一方、「参議が多ければ実現する」と言っています (箴言15:22)。ですから筆者は、「計画は助言を得て立てよ」(箴言20:18) と勧めているのです。

助言を求めるのがとても重要である一方、原則的に私たちの決断は、私たち自身と神との間でなされるものだということを覚えておかなければなりません。決断は私たちの責任です。だれか他の人にこの責任を押しつけたり、うまくことが運ばなかったりしたときに、だれかを責めることはできません。「クリスチャンの助言」は、導きの一つです。しかしこれがすべてではありません。時には、他の人のアドバイスにかかわらず、先へ進むことが正しいこともあるのです。

助言を必要とする決断に迫られたとき、だれに相談すればよいのでしょうか。箴言の作者にとっては、「主を畏れることが知恵の始まり」でした。従って筆者は「主を畏れる」人からの助言を求めることを考えていたと思われます。最良の助言者は、通常は成熟したクリスチャンで知恵も経験もあり私たちが尊敬している人でしょう。（大人になった後でも、私たちが尊敬すべき両親に助言を求めるのはよい方法です。たとえ両親がクリスチャンでなくても、親は子どもをよく知っているものですし、しばしば置かれた状況に対して鋭い洞察力をもっているからです）。

クリスチャンとして生活する中で、尊敬する成熟したクリスチャンがそばにいて、様々な問題に助言を求めることができるのは、本当に大きな助けと感じています。私も様々なときに、様々な人に相談してきました。これらの人びとが、多くの領域で知恵を与えて助けてくださったことを神に感謝しています。これらの人びとと一緒に問題について話をしているときに、しばしば状況への洞察が与えられました。

さらに大きな決断に際しては、なるべく多くの助言を求めるのが助けになると分かりました。献身するかどうかの決断を迫られたとき、私は二人の成熟したクリスチャンの先輩と二人の親友、それに私の牧師と、公式に聖職者を選択する過程にかかわっている人びとに助言を求めました。

助言を求める相手は、自分がすでに行なうつもりの計画に賛同してくれる人という基準で選ぶべきではありません！　自分の計画を支持してくれる人を探すために、数え切れないほど多くの人に助言を求めてまわる人がいます。このようにして得た助言にはあまり重みがなく、何かあれば「だれそれさんに相談したら、その人も賛成してくれた」という程度のものでしょう。

相談する相手の人は、その人の霊的権威や自分との関係を基準に選ぶべきで、その人の考え方などで選ぶべきではありません。今ではロンドン中心部で教会を持っている私の友人のニッキーとシーラ・リーは、クリスチャンになったときに、自分たちの関係を続けていくのが正しいことかどうか悩みました。なぜなら、二人は大変愛し合っていましたが、まだとても若く、すぐに結婚する予定はなかったからです。

ニッキーが心から尊敬していた思慮分別のあるクリスチャンの人がいたので、彼なら、このような関係についてしっかりした考えを持っているだろうと思いました。ニッキー自身は、まだ大学生だから深い関係を持つのはあまり賢明ではないと思っていました。とりあえずニッキーは彼に相談することにしました。

その人はニッキーに「君は、シーラとの関係をすでに主に委ねたのかい」と尋ねました。ニッキーは幾分ためらいながらも正直に、「多分委ねたと思います。でも時々、分からなくなるのです」と答えました。彼の答えに対して、その人は続けて「君はシーラを愛しているんだね。シーラとの関係を続けるのがいいと思うよ」と言ったのです。この助言は驚くべき源泉から出たものだったので、大変な重みを持っていました。この助言は素晴らしいものでした。二人は今では何年も幸せな結婚生活を送っていて、この助言が素晴らしいものであったと証明しています。

状況的なしるし
(Circumstantial Signs)

神は究極的にはすべてのことを支配しておられます。箴言の作者は指摘しています。「人間の心は自分の道を計画する。主が一歩一歩を備えてくださる」(箴言16:9)。時には、神は大きな門を開きます（Ｉコリント16:9）。時にはそれを閉ざすこともあります（使徒16:7）。私の人生で、今までに二度、当時自分が強く求め、また神の御心であると思っていたことに対して、神がドアをぴしゃりと閉めたことがありました。私はドアを無理に開けようとしました。祈り、努力し、格闘しましたが、ドアは開きません。どちらの場合にも、私はひどく落ち込みました。しかし、何年も経った今では、なぜ、神がそのドアを閉めたのかが分かります。また、閉めてくださったことに感謝しています。しかし、天国のこちら側で生きている間には、なぜ神が私たちの人生でいくつかの特定のドアを閉ざされるのか、その理由が分からないのではないかと思います。

時に、神は驚くべき方法でドアを開けてくださいます。その状況やタイミングから、明らかに神の御手によると分かります（例：創世記24章)。マイケル・ボルドーは、ケストン大学にある、共産圏にいるクリスチャンたちを援助する調査機関の責任者です。ボルドーの業績は世界中の政府からも賞賛を浴びています。ボルドーはオックスフォード大学でロシア語を学びました。彼のロシア語の教授であったゼルノフ博士は、ボルドーが興味を示すと思い、自分に送られてきた一通の手紙を彼に見せました。その手紙には、クリスチャンの修道士たちがKGBの手によってどのような迫害を受けているか、非人道的な人体実験の実験材料となり、あげくの果てには死体はまとめてトラックに積み込まれ、何百マイルも離れたところにゴミのように捨て去られている様子がこと細かく書かれていました。手紙は飾り言葉を使わずに、ごく淡々と書かれていました。それを読み進めるうちに、ボルドーは、迫害されている教会の真の叫び声を聞いているかのように感じました。手紙には、ヴァラヴァ、プローニナと二つの署名がありました。

1964年8月、ボルドーはモスクワを訪問し、到着した最初の晩に、昔の友人に会いました。すると友人は、迫害は以前よりもさらにひどくなっていると説明しました。特に古くからある聖ペトロ・聖パウロ教会はひどく破壊されたとのことでした。その跡地に行って実際に自分の目で見てきたらいい、と友人たちは言いました。

そこで彼はタクシーを拾い、薄暗くなったころその場所に着きました。かつては大変美しい教会があったその広場に着くと、教会があった場所は、瓦礫の山を隠すために4メートル近い高さのフェンスが張り巡らされていて、他には何もありませんでした。広場の向こう側には、フェンスによじ登って中を覗こうとしている二人の女性がいました。しばらく様子を見ていると、二人はやがて広場を離れて行きましたので、彼は二人の後について100メートルほど行き、やがて追いつきました。二人はボルドーに、一体彼がだれなのかと聞きました。彼は、自分は外国人でソ連で何が起こっているのかを調べに来たのだと説明しました。

二人は、ボルドーを別の女性の家に連れて行き、そこでも、なぜここに来たのかを尋ねられました。そこでボルドーは、パリ経由でウクライナからの手紙を受け取ったことを話しました。手紙の差出人はだれかと彼女に聞かれたので、「ヴァラヴァとプローニナ」だと答えました。すると皆黙り込んでしまいました。彼は何か悪いことを言ったのかと訝りました。すると突然、三人とも抑えきれずにすすり泣きだしました。その女性は、そこにいた二人の女性を指差し、「ここにいるのがヴァラヴァ、こちらがプローニナです」と言ったのです。
　ロシアの人口は1億4千万で、手紙の書かれたウクライナはモスクワから1300キロも離れたところにあります。マイケル・ボルドーが英国を発ったのは、手紙が書かれてから6ヵ月も経った後でした。教会の跡地に行くのが、どちらかが1時間早くても遅くても、三人は会うことはできなかったのです。このようにして、神は、マイケル・ボルドーが生涯の仕事を始めるきっかけを与えられたのです（＊39）。

焦らないこと

　神の導きを求めるとすぐに与えられる場合（例：創世記24章）もありますが、大抵は、しばらく時間がかかります。時には、何ヶ月も何年も待たなくてはならないこともあります。神が私たちの人生で何かをなさろうとしているという感覚はあるかもしれませんが、実際に起こるまでには、長い間待たなければならないのです。その場合、私たちはアブラハムのように辛抱強くなければなりません。「アブラハムは根気よく待って、約束のものを得たのです」（ヘブライ6:15）。彼は待っている間に、神の約束を自分のやり方で行おうとする誘惑にあったこともありました。それは悲惨な結果となりました（創世記16章、21章参照）。
　神の言われる内容を正しく聞いても、タイミングを間違えて聞いてしまうことがあります。神はヨセフに、彼と彼の家族に何が起こるかを夢の中で語られました。ヨセフはおそらくすぐに成就すると思ったことでしょう。しかし、彼は何年も待たなければなりませんでした。ヨセフは牢屋にまで入れられ、夢の中で語られたことが成就すると信じるのが難しいときもあったに違いありません。しかしその夢を見てから13年後、やっと、ヨセフは神の御業が成就するのを体験するのです。待ち望むのも大切な準備期間だったのです（創世記37〜50章参照）。

神の導きに関して、私たちは皆、この点で間違いを犯してしまいがちです。時にはアブラハムのように、自分の間違ったやり方で神のご計画を実行しようとしてしまうのです。ヨセフのようにタイミングを間違えることもあります。神にどうにかして欲しいと願いキリストの前に進み出るときには、すでに人生をめちゃくちゃにしてしまったと感じています。しかし神はそれよりもずっと偉大な方です。神は「食い荒らすいなごの、食い荒らした幾年もの損害を・・・償う」（ヨエル2:25）ことのできる方なのです。私たちが持っているものを神に差し出し、神の霊と協力するなら、神は短時間で、あるいは長い時間をかけて、私たちの人生にかろうじて残っているものから、素晴らしいものを作り上げてくださる方です。

19世紀半ばにラッドストック卿は、ノルウェーのあるホテルに滞在していました。一人の少女が下のロビーでピアノを弾いているのが聞こえてきました。少女の奏でる音はひどいものでした。「ピロン、ポロン、ピロン」。彼は、だんだん苛立ってきました。そのとき一人の男の人がピアノに近づいてきて、少女の隣に座りました。そして、少女が弾けないところを彼が弾いて埋めてくれたのです。すると、とても素晴らしい音楽が響き渡りました。後になって彼は、少女の隣に座ってピアノを弾いた人は少女の父親で、オペラ『イーゴリ公』を作曲したアレクサンドル・ボロディンであったことを知りました。

パウロは「ご計画に従って召された者たちには、万事が益となるように共に働くということを、わたしたちは知っています」（ローマ8:28）と書いています。私たちが自分の人生に神の御心を求めながら、御言葉を読み（聖書の命令）、御声を聞き（聖霊の強いうながし）、考え（常識）、話し（クリスチャンの助言）、注意深く見て（状況的しるし）、待ち望むことによって、ためらいつつも自分のパートを弾くとき、神は来てくださり私たちの横に座って、「万事を益としてくださる」のです。神は、私たちの「ピロン、ポロン」をもって、私たちの人生から何か美しいものを作り出してくださるのです。

8

聖霊とは？

私の大学時代、友人たちのグループがありましたが、そのグループにはニッキーと呼ばれる人が5人もいました！　ほとんど毎日、昼食には一緒に集まっていました。1974年の2月、私たちのほとんどがイエス・キリストを信じるようになりました。私たちは新しく見出した信仰に夢中になりました。しかし、一人のニッキーだけはなかなか乗ってこようとしませんでした。彼はどうも聖書を読むこと、祈ること、神と関係をもつことに興奮を覚えることはないようでした。

ある日、誰かが彼のために、聖霊に満たされるようにと祈りました。そして彼は聖霊に満たされ、彼の人生はまったく変えられたのです。彼は満面に笑みをたたえる人になりました。その輝きゆえに彼は知られるようになりました。何年も経った今でも彼は輝いています。その後、聖書の勉強会や祈祷会など、行くことができる集会にはどこにでも彼はいました。他のクリスチャンと一緒にいることをとても楽しむようになったのです。彼は最も人をひきつける人物になりました。人びとは彼に引き寄せられ、彼は多くの人を信仰へ導き、また、自分が経験した聖霊の満たしへと導いたのです。

何がニッキーをこれほどまでに変えてしまったのでしょうか。私は彼が、「それは聖霊の体験だ」と答えると思います。多くの人は父なる神について、子なる神イエスについてはある程度知っています。しかし、聖霊に関してはあまり知らないのです。そういうわけで、本書ではこれからの3章を、この三位一体の第三位格「聖霊」という方についての学びに割いています。

古い訳の英語の聖書では「ホーリー・ゴースト（聖なる幽霊）」と訳されているために、聖霊が何か怖いものであるかのような印象があります。聖霊は幽霊（ゴースト）ではありません。人格を持っておられます。人格としてのすべての特徴を備えておられます。聖霊は考え（使徒15:28）、語り（使徒1:16）、導き（ローマ8:14）、そして、悲しむ（エフェソ4:30）方です。時として「キリストの霊」（ローマ8:9）、「イエスの霊」（使徒16:7）と表現されています。聖霊において、イエスは人びとと共におられるのです。小学生向けの定義では「イエスのもう一つの人格」です。

聖霊とはどのような方でしょうか。聖霊は原語のギリシヤ語では「パラクレートス」（ヨハネ14:16）と記されています。これは容易には訳し難い言葉ですが、「側にいると呼ばれる者」、助言者、慰める者、励ます者という意味を持っています。イエスは「父はあなたがたにもう一人の助け主を与えられるであろう」と言われました。この「もう一人」には「同じような」という意味があります。つまり、聖霊はイエスとちょうど同じであるということなのです。

この章では、創世記からペンテコステの日まで聖書の中に登場する聖霊の働きを通して、聖霊がどのような方であるかを学んでいきたいと思います。ペンテコステ運動が20世紀初頭に始まったために、聖霊を20世紀の現象だと考えたくなりますが、それは真実からかけ離れているのです。

聖霊は天地創造のときに働いていました

聖書の冒頭の数節に、聖霊の働きの証拠を見ることができます。「初めに、神は天地を創造された。地は混沌であって、闇が深淵の面にあり、神の霊が水の面を動いていた」（創世記1:1～2）。

私たちは天地創造の記録の中に、聖霊がどのようにして新しいものを存在するようにされたか、また、混沌に秩序をもたらされたかを見ることができます。聖霊は今日も同じように働いておられます。聖霊はしばしば人びとの人生、そして、教会に新しいことを起こされます。聖霊は、人びとを傷つける悪習慣や依存症から彼らを解放し、崩壊した人間関係の混乱や困窮から救い、混沌とした人生に秩序と平安をもたらしてくださいます。

神が人を創造されたとき、神は「土（アダマ）の塵で人（アダム）を形づくり、その鼻に命の息を吹き入れられた。人はこうして生きる者となった」（創世記2:7）と記されています。「息」と訳されているのはヘブライ語の「ルアッハ」で、「霊」を意味する言葉でもあります。神の「ルアッハ」が塵から形づくられた人に身体的な生命を与えました。同様に、聖霊は塵のように乾き切ってしまう人びとや教会に、霊的な命をお与えになるのです。
数年前のことですが、一人の牧師と話していました。彼は、自分の人生も教会もそのような状態 ― 少々埃っぽい ― と語っていました。ある日、彼と彼の妻は聖霊に満たされ、聖書に対する新しい情熱を見出し、彼らの人生はまったく変えられました。彼の教会は命の源となりました。同じように聖霊に満たされた彼の息子によって始められたユース・グループは爆発的な成長を遂げ、地域で最も大きなものの一つとなったのです。
多くの人は命に飢え渇いています。そして、彼らは神の霊の命があふれている人びとや教会へと引き寄せられるのです。

聖霊は、特別なときに、特別な人びとに、特別な目的のために降(くだ)りました

神の霊が人びとの上に降られるとき、何かが起きます。聖霊はただステキで温かい気分を与えるのではありません！　目的をもって来られます。旧約聖書の中にいくつかの例を見ることができます。

聖霊は芸術的な仕事のために人びとを満たします。ベツァルエルは、「どのような工芸にも知恵と英知と知識をもたせ、金、銀、青銅による細工に意匠をこらし、宝石をはめ込み、木に彫刻するなど、すべての工芸をさせる」(出エジプト31:3～5)ために、神の霊に満たされました。

聖霊に満たされていなくとも、才能ある音楽家や作曲家、芸術家になることは可能です。しかし、神の霊がこうした目的のために人びとを満たすとき、彼らの働きは、しばしば新しい次元へと導かれていきます。特に霊的な影響力が増大するのです。これは音楽家や芸術家たちの能力がそれほど優れていないときにも言えます。人びとの心を打ち、彼らの人生を変える働きをするようになるのです。ベツァルエルにこのようなことが起きたのも不思議ではありません。

聖霊はまた、指導者の任務を果たすために個人を満たしました。士師記の時代に、イスラエルの民はしばしば周辺諸国から圧迫を受けていました。その一つはメディアンでした。神はイスラエルを導くためにギデオンを選ばれました。ギデオンは自分の弱さをよく知っていたので、神に尋ねました。「どうすればイスラエルを救うことができましょう。わたしの一族はマナセ族の中でも最も貧弱なものです。それにわたしは家族の中でいちばん年下の者です」(士師記6:15)。しかし、神の霊がギデオンに降ったとき(34節)、彼は旧約時代のめざましいリーダーの一人になったのです。

リーダーシップの分野において、神はしばしば、自分は弱く、不適格で、十分準備ができていないと思っている人を用いられます。彼らが聖霊に満たされると、教会の中で際立って優秀なリーダーとなります。この顕著な例はE.J.H.「バッシュ」・ナッシュ牧師です。保険会社の事務員として働いていた19歳のときにキリストを信じた彼は、神の霊に満たされた人物でした。「彼には特に印象的なところはない･･･スポーツマンでもないし、大胆でもない。学歴もあるわけではなく、芸術的な才能もなかった」（＊40）と彼に関して記されています。しかし、ナッシュ牧師によってキリストに導かれたジョン・ストットは、彼のことを次のように述べています。「外見的には何の特徴もないが、彼の心はキリストの愛で燃えていた」。全国版新聞や教会報に載せられた死亡記事は、彼の人生を次のようにまとめていました。

> バッシュは･･･物静かで、控え目な聖職者であった。注目されることも、新聞の見出しに記事として取り上げられることもなく、昇進も望まなかった。しかし、過去50年間における英国国教会での彼の影響力は、同時代のどの人物よりも大きかったであろう。今日、何百人という人びと、それも責任ある地位にある多くが、彼の働きを通して神への献身へと導かれたことを、神に感謝しているだろう。
> 彼をよく知っている人びと、彼と一緒に働いた人びとは、彼のような人物には二度と会えないと思っているに違いない。なぜなら、この静かに語り、謙虚で、深い霊性を備えた彼ほど、多くの人に影響を与えた人物はめったにいないからだ（＊41）。

他にも、聖霊が強さと力で人びとを満たしておられるのを見ることができます。サムソンの物語はよく知られています。あるとき、ペリシテ人が彼をロープで縛って捕らえました。「そのとき、主の霊が激しく彼に降り、腕を縛っていた縄は、火がついて燃える亜麻の糸のようになり、縄目は解けて彼の手から落ちた」(士師記15:14)のです。

旧約聖書において実際に現された真理が、しばしば新約聖書における霊的な真理を象徴することがあります。私たちは実際にロープに縛られているわけではありませんが、私たちの人生をしっかりと握ろうとする恐れや悪習慣や依存症によって縛られています。怒りっぽい性格、ねたみ、嫉妬、肉欲のような思いのパターンによって、私たちはコントロールされているのです。やめたいと思っていてもやめることができないとき、私たちは縛られていることがわかるのです。サムソンの上に神の霊が降ったとき、彼を縛っていたロープは焼け落ちた絹糸のようになり、彼は自由の身となりました。

さらに神の霊が預言者イザヤの上に降り、彼に「貧しい人に良い知らせを伝え･･･打ち砕かれた心を包み、捕らわれ人には自由を、つながれている人には解放を告知」し、「嘆いている人びとを慰め」ることができるよう、力が与えられています(イザヤ61:1〜3)。

私たちはこの世の問題に直面するとき、時として自らの無力さを感じることがあります。私もクリスチャンになる以前は、よくそのように感じていました。大変な状況の中で生活している人たちのために、ほとんど何もできないことを知っていました。今もそのように感じることがあります。しかし、神の霊の助けによって、私たちは与えることができる何かを持っているのです。神の霊によって私たちは、イエス･キリストの良き知らせを伝えることができるのです。打ち砕かれた心を包み、心の底では嫌悪していることの虜となっている人に自由を告知し、自分の間違った行為のために囚われている人を解放し、悲しみ、憂いや嘆きの中にある人に聖霊(まさに慰め主）による慰めをもたらすことができるのです。もし私たちが人びとを永続するかたちで助けようとするなら、神の霊の助けなしには不可能です。

聖霊は父なる神によって約束されていました

旧約聖書に書かれている神の霊の働きの例を見てきましたが、それらは特別なときに、特別な人びとに、特別な目的のために限られていました。しかし、旧約聖書をさらに読み進めると、神が何か新しいことを行なうと約束しておられるのを見出すことができます。新約聖書はこれを「父の約束」と呼んでいます。期待感が高まっているのですが、**何が起ころうとしていたのでしょうか。**

旧約聖書では、神は人びとと契約を結ばれました。神は、神が彼らの神となる、そして人びとは神の民となる、と言われました。神は、人びとに律法を守るよう求められたのです。しかし、悲しいことに、人びとは、神の命令を守ることができないことを知るのです。つまり、旧い契約は破られ続けるのです。

そこで神は、いつの日かその民と**新しい**契約を結ぶことを約束されました。この契約は最初の契約とは異なるものとなります。「わたしの律法を彼らの胸の中に授け、彼らの心にそれを記す」（エレミヤ31:33）。別の言葉で言うと、新しい契約の下では、律法は外面的なものではなく、内面的なものであるというのです。長い距離をハイキングに行く場合、食料など必要なものを十分に背負って出かけます。重たい荷物のために歩くスピードは遅くなるでしょう。しかし、それらを食べると、荷物が軽くなるだけではなく、内側から新たなエネルギーが湧いてきます。エレミヤを通して神が約束されたことは、律法がもはや外側からの重荷とはならず、内側からのエネルギーの源となる時のことです。**では、それはどのようにして起ころうとしていたのでしょうか。**

エゼキエルがその答えを与えてくれます。神は預言者エゼキエルを通して語られ、先に与えた約束を詳しく教えられたのです。「わたしはお前たちに新しい心を与え、お前たちの中に新しい霊を置く。わたしはお前たちの体から石の心を取り除き、肉の心を与える。また、わたしの霊をお前たちの中に置き、わたしの掟に従って歩ませ、わたしの裁きを守り行わせる」(エゼキエル36:26〜27)。

神は、預言者エゼキエルを通して、神が私たちの内に聖霊を置かれるときに、まさにこのようなことが起こると言われたのです。神はこのように私たちの心を変え、硬くではなく(「石の心」)やわらかく(「肉の心」)してくださるのです。神の霊は私たちを動かし、神の掟に従い、その定めを守る者としてくださるのです。

ジャッキー・ポリンジャーは城壁に囲まれた無法地帯である香港の九龍城地区でこの30年間過ごしてきました。売春婦やヘロイン中毒者、ギャングたちのために働くことに、彼女は一生を献げました。忘れることのできないスピーチを彼女は次のように始めました。「神は、私たちがやわらかい心と堅固な足を持つことを望んでおられます。しかし、私たちの問題は、堅い心とやわらかで弱々しい足を持っているということです」。クリスチャンは堅固な足を持たなければなりません。つまり、私たちは、道徳的には弱々しく意志薄弱であってはならない、タフであるべきだということです。ジャッキーは他の人びとに仕えるために、睡眠や食事や快適さのない生活をもいとわない、逞しさの見事なお手本です。しかし、彼女にはやわらかい心もあります。あわれみに満ちあふれた心を持っています。彼女は心ではなく、足がタフなのです。

さて「父の約束」がどのようなものであるか、またそれがどのようにして実現するかを学んできました。預言者ヨエルはこの約束がだれに対して起こるのかを記しています。神はヨエルを通して次のように語っておられます。

その後
わたしはすべての人にわが霊を注ぐ。
あなたたちの息子や娘は預言し
老人は夢を見、若者は幻を見る。
その日、わたしは
奴隷となっている男女にもわが霊を注ぐ

(ヨエル3:1〜2)

(訳注：新改訳ではヨエル2:28〜29)

ヨエルは、この約束がもはや特別な人びとの、特別なときの、特別な働きのためだけではないこと、すべての人のためであることを預言しています。神はその霊を、性別(「息子や娘･･･男女」)、年齢(「老人･･･若者」)、家柄、人種、肌の色、地位(「奴隷」)などには関係なく注がれます。そして神の声を聞くための新しい力(「預言･･･夢･･･幻」)が与えられるのです。ヨエルは神の霊が神の民すべてに豊かに注がれると預言したのです。

しかし、この約束が成就するまでに、それから300年以上を要しました。神の霊が爆発するかのように働き始めたイエスの降誕のときまで、この「父の約束」の成就を人びとは待ち焦がれていたのです。

イエスの誕生とともに、トランペットが鳴り響きました。イエスの誕生に関係のあった人たちほとんど皆が、神の霊に満たされました。イエスのために道を備えた洗礼者ヨハネは、誕生する前から聖霊に満たされていました（ルカ1:15）。イエスの母であるマリアは「聖霊があなたに降り、いと高き方の力があなたを包む」（ルカ1:35）という約束を与えられました。マリアのいとこのエリサベトが、まだマリアのお腹の中にいたイエスの前に来たときに、彼女もまた聖霊に満たされました（41節）。洗礼者ヨハネの父親であるザカリアさえも聖霊に満たされました（67節）。そしてほとんどの場合、聖霊の満たしに伴い、賛美や預言があふれ出してきたのです。

洗礼者ヨハネが イエスと聖霊とを結びつけます

ヨハネは、彼自身がキリストではないのかという質問を受けたとき、次のように答えています。「わたしはあなたたちに水で洗礼を授けるが、わたしよりも優れた方が来られる。わたしはその方の履物のひもを解く値打ちもない。その方は、聖霊と火であなたたちに洗礼をお授けになる」（ルカ3:16）。水の洗礼は大変重要ですが、しかし、それだけでは十分ではありません。イエスは、聖霊のバプテスマを授ける方です。この「バプテスマ」という言葉はギリシヤ語では「圧倒する」、「浸す」、または「投げ込む」という意味を持っています。聖霊によってバプテスマされるときに、このようなことが起こらなければなりません。神の霊の中に浸され、投げ込まれ、私たちは完全に圧倒されることが必要なのです。

この体験は時として、カチカチに干からびたスポンジが水の中に落とされるようなものです。神の霊を吸収することを妨げるかたくなさが、私たちの中にあるかもしれません。そのかたくなさが取り除かれ、スポンジが水をしっかりと吸い込むまで時間がかかるでしょう。ですから、スポンジが水の中に落とされる(「バプテスマされる」)ことと、水がスポンジの中にたっぷりしみ込む(「満たされる」)ことは別のことです。スポンジが水をたっぷり含むときに、文字通り、水がスポンジから流れ出てくるのです。

イエスは、神の霊に完全に満たされた方でした。洗礼を受けられたとき、聖霊は目に見える形で降ってきました(ルカ3:22)。イエスはその後、「聖霊に満ちて」ヨルダン川から帰られ、「霊によって」荒野へと導かれたのです(ルカ4:1)。また「霊の力に満ちて」ガリラヤに帰られました(14節)。ナザレの会堂では、イザヤ61章1節から「主の霊がわたしの上におられる･･･」と朗読され、「この聖書の言葉は、今日、あなたがたが耳にしたとき、実現した」と語られました(21節)。

イエスは、聖霊の存在を預言しました

あるとき、イエスはユダヤの祭りの一つである仮庵祭へと出かけられました。何千人ものユダヤ人たちが、モーセが岩から水を出したときを思い起こすこの祭りを祝うために、エルサレムにやって来ました。人びとは過去一年間、神が水を備えてくださったことを感謝し、これからの一年も同じように備えてくださるよう祈ります。そして(エゼキエルが預言したように)神殿から水

が流れ出し、その流れがさらに深くなり、その水が流れていく所はどこでも命と実りといやしがもたらされる、そのときを待ち望むのでした（エゼキエル47章）。

この聖書の個所は仮庵祭で朗読され、さらに目で見ることができるよう実演されていました。大祭司がシロアムの池まで降りて行き、金の水差しにその池の水を満たします。大祭司はそれから人びとを率いて神殿へと向かい、神殿からその偉大な川が流れ出ることを期待して、祭壇の西側に設置されたじょうごを通して水を地面へと流すのです。ユダヤの伝統ではエルサレムは地球のへそであり、シオン山にある神殿は、そのへそ（「腹」もしくは「腹の底」）の中心であるとされていました。

この祭りの最後の日に、イエスは立ち上がって、宣言されました。「渇いている人はだれでも、わたしのところに来て飲みなさい。わたしを信じる者は、聖書に書いてあるとおり、その人の内（原語では『腹』もしくは『腹の底』の意）から生きた水が川となって流れ出るようになる」（ヨハネ7:38）。つまり、エゼキエルや他の人びとによって語られた約束は、もはやどこかの場所で成就するのではない、一人の方において成就するのだと言われたのです。イエスの内側深くからこの命の川が流れ出てきます。そして、さらに言うならば、すべてのクリスチャン（38節「わたしを信じる者」）からこの生きた水が川となって流れ出るようになるのです。神がエゼキエルを通して約束された川が私たちから流れ出て、人びとに命、豊かさ、いやしをもたらす、とイエスは言われるのです。

ヨハネはさらに、イエスが、「御自分を信じる人びとが受けようとしている」（39節）聖霊について語っておられると説明しています。彼は「“霊”がまだ降っていなかったからである」(39節) と記していますが、父なる神の約束はまだ成就していませんでした。イエスの十字架と復活の後でも、まだ聖霊は注がれていなかったのです。後に、イエスは弟子たちに言われました。「わたしは、父が約束されたものをあなたがたに送る。高い所からの力に覆われるまでは、都にとどまっていなさい」(ルカ24:49)。

イエスは昇天される前に、再び約束されました。「あなたがたの上に聖霊が降ると、あなたがたは力を受ける」(使徒1:8)。しかし、弟子たちはさらに10日間も祈り、待たなければなりませんでした。そして、ついにあのペンテコステの日がやってきます。「突然、激しい風が吹いて来るような音が天から聞こえ、彼らが座っていた家中に響いた。そして、炎のような舌が分かれ分かれに現れ、一人一人の上にとどまった。すると、一同は聖霊に満たされ、“霊”が語らせるままに、ほかの国々の言葉で話しだした」(使徒2:2～4)。

ついに起こったのです。父なる神の約束が成就したのです。そこにいた人びとは当惑し、驚きに包まれました。

ペトロは立ち上がり、何が起こったのか説明し始めました。旧約聖書の中にある神の約束を取り上げ、人びとの期待と願いが今、彼らの目の前で実現していることを説明したのです。彼はまた、イエスが「約束された聖霊を御父から受けて注いでくださ」ったことを「あなたがたは、今･･･見聞きしているのです」(使徒言行録2:33)と説明しました。

人びとが、自分たちは何をするべきかを尋ねたとき、ペトロは、ゆるしを受けるために悔い改め、イエスの御名による洗礼を受けよ、と伝えます。そうすれば、彼らは聖霊の賜物を受ける、と断言しました。それは、「この約束は、あなたがたにも、あなたがたの子供にも、遠くにいる**すべての**人にも、つまり、わたしたちの神である主が招いてくださる者ならばだれでも、与えられるもの」(39節)だからです。

私たちは今、聖霊の時代に生きています。父なる神の約束はすでに成就しています。すべてのクリスチャンが一人残らず、この約束を受けることができるのです。もはや特別な人、特別なとき、特別な働きに限定されません。あなたにも、私にも与えられる、つまり、**すべての**クリスチャンに与えられるのです。

9

聖霊の働きとは？

イエスはお答えになった。「はっきり言っておく。だれでも水と霊とによって生まれなければ、神の国に入ることができない。肉から生まれたものは肉である。霊から生まれたものは霊である。『あなたがたは新たに生まれねばならない』とあなたに言ったことに、驚いてはならない。風は思いのままに吹く。あなたはその音を聞いても、それがどこから来て、どこへ行くかを知らない。霊から生まれた者も皆そのとおりである」（ヨハネ3:5〜8）。

二年ほど前、私がブライトンという町にある教会にいたときのことです。その教会の日曜学校の先生の一人が、前の週の彼女のクラスのことを話してくれました。彼女はヨハネ3章5〜8節にある新しく生まれなければならないというイエスの教えを子供たちに教えていました。肉体的な誕生と霊的な誕生の違いを説明しようとしていたのです。子供たちに、このことにしっかりと関心を向けてもらいたかったので、次のような質問をしました。「みんな、生まれたときからクリスチャンだった？」一人の男の子が答えました。「いいえ、先生。生まれたときはふつうでした」。

「新たに生まれる」という表現は、今では常套句のひとつとなっています。アメリカで最初に広まり、今では車の宣伝文句にまでも使われるようになりました。実際には、イエスが最初に「霊から生まれた」人を表現するために用いられたのです（ヨハネ3:8）。

一人の男性と一人の女性が性的に結びつくことによって、赤ちゃんが生まれます。霊的な世界では、神の霊と一人の人の霊が一つとなるときに、新しい霊的な存在が創造されます。これが霊的な意味での、新生です。「あなたがたは新たに生まれねばならない」とイエスが言われたのはまさにこのことです。

イエスは肉体的に生まれるだけでは十分ではない、と言われました。私たちは、聖霊によって新しく生まれなければならないのです。これは私たちがクリスチャンになったときに起こる出来事です。すべてのクリスチャンは新しく生まれています。それがいつ起こったか正確な瞬間を示すことはできないかもしれませんが、肉体的に生きているかどうかが分かるように、霊的に生きているかどうかは、私たちに分かるはずです。

私たちが肉体的に生まれるとき、一つの家族の中に誕生します。同じように、私たちが霊的に新しく生まれるとき、キリストの家族の中に誕生するのです。聖霊の働きの多くは、家族という点から考えると理解できます。聖霊は、私たちと父なる神との関係を確かなものとし、その関係を深めていくための助けをしてくださいます。また、クリスチャンの間に家族のような関係を作り出してくださいます。兄弟姉妹たちそれぞれに異なった賜物や能力を与え、私たちを一つの家族とし、さらにその家族を大きく成長させてくださるのです。

この章では、クリスチャンである私たちの内になされる様々な聖霊の働きに関して、それぞれの面を学んでいきたいと思います。私たちがクリスチャンとなるまでは、聖霊の働きはおもに、罪を示し、イエス・キリストが必要であることを教え、真理へと導き、イエスを信じることができるようにしてくださる、というものです(ヨハネ16:7〜15)。

神の子どもたち

私たちはキリストを信じた瞬間に、完全なゆるしを受けとります。神と私たちの間にあった障壁は取り除かれたのです。パウロは言っています。「従って、今や、キリスト・イエスに結ばれている者は、罪に定められることはありません」(ローマ8:1)。イエスは私たちのすべての罪、過去、現在、そして、将来の罪すべてを、その身に負ってくださいました。神は私たちのすべての罪を取り去り、それらを海の深みへと投げ込まれます(ミカ7:19)。そして、オランダの作家コーリー・テン・ブームがよく言っていたように、「神はそこに『釣り禁止』の看板を立ててくださるのです」。

神は私たちを白紙の状態にしてくださるだけではなく、神の息子、娘になるという神との関係へと導いてくださるのです。確かにすべての人間は神によって創造されました。しかし、すべての人が神の子どもとなっているわけではありません。イエスを信じ受け入れた者、その名を信じた者だけに、神は「神の子となる資格」を与えられるのです(ヨハネ1:12)。新約聖書において、子である(息子、娘の両方を含む意味で使われている)とは、人としての身分ではなく、霊的な身分を意味します。私たちは、ただ生まれてきたからといって神の子どもとなるのではありません。聖霊によって新しく生まれることによって、神の息子、娘となるのです。

ローマの信徒への手紙は、新約聖書のヒマラヤとたとえられてきました。その中でも8章はエベレスト山で、14節から17節はその頂上だということができるでしょう。

> 神の霊によって導かれる者は皆、神の子なのです。あなたがたは、人を奴隷として再び恐れに陥れる霊ではなく、神の子とする霊を受けたのです。この霊によってわたしたちは、「アッバ、父よ」と呼ぶのです。この霊こそは、私たちが神の子供であることを、わたしたちの霊と一緒になって証ししてくださいます。もし子供であれば、相続人でもあります。神の相続人、しかもキリストと共同の相続人です。キリストと共に苦しむなら、共にその栄光をも受けるからです（ローマ8:14〜17）。

まず第一に、神の子どもとされることほど大きな特権はありません。当時のローマ法の下では、人が自分の相続人を選ぶ場合、実子もしくは養子の中から一人選ぶことができました。神の御子はただ一人、イエスだけですが、神は多くの養子も持っておられます。浮浪児や家なき子が王様に養子として迎えられ、王子になるというおとぎ話がありますが、キリストによって、そのおとぎ話は現実のものとなったのです。私たちは神の家族に養子として迎え入れられたのです。これ以上高い栄誉はありません。

ビリー・ブレイは1794年生まれ、コーンウォール出身の大酒飲みで、だらしない生活をしていた炭鉱労働者でした。彼はいつも喧嘩や家庭での争いの中にいたのです。しかし、29歳のときに、彼はクリスチャンになりました。ビリーは家に帰って妻に言いました。「君はもう僕が酔っ払っている姿を二度と見ることはない。主が助けてくださるから」。そのとおり、彼女は彼の酔っている姿を二度と見ることはありませんでした。彼の言葉や口調や、その姿には、人を引きつける力がありました。彼は神からのエネルギーによって充電されていたのです。炭鉱の人たちは彼の説教を聞き、その多くが回心したのです。また、著しいいやしの奇跡も起きました。彼はいつも神を賛美していましたし、喜ぶ理由が山ほどあると語っていました。彼は自分のことを「若き王子」と呼んでいました。王の王である神の養子として、王家の権利や特権をすでに持っている王子だからです。彼は「私は王の息子です」と好んで言っていました(*42)。

私たちが養子となった神の息子や娘であるという身分を一度知れば、この宇宙の創造主の子どもであるほど名誉なことは、この世にはないということに気づくでしょう。

第二に、子どもとして、私たちは最も親密な神との関係を持っているのです。パウロは、聖霊によって私たちは「アッバ、父よ」と呼ぶことができると語っています。このアラム語の「アッバ」(6章ですでに学びました)は、旧約聖書には登場しない言葉です。この言葉は、神に対するイエス独特の呼びかけ方です。翻訳するのが不可能な言葉ですが、最も近いものとして「親愛なるお父さん」や「パパ」をあげることができるでしょう。英語の「パパ」は、親との西洋的な仲良し感覚の関係を連想させますが、イエスの時代には父親は絶大な権威の象徴だったので、この「アッバ」という言葉は、親密さを表しますが幼児語ではありません。イエスが父なる神に対する呼びかけとして使われた言葉です。私たちが聖霊を受けるとき、イエスは神との親しい関係に私たちが入ることを許してくださるのです。「あなたがたは、人を奴隷として再び恐れに陥れる霊ではなく、神の子とする霊を受けたのです」(15節)。

チャールズ皇太子は様々な称号を持っています。王位継承者、皇太子殿下、プリンス・オブ・ウェールズ、コーンウォール公爵、勲一等爵位、近衛連隊最高長官、ロスゼイ公爵、シスルの騎士、海軍少将、バース勲爵位団の偉大なる長、チェスター伯爵、カーリック伯爵、レンフリュー男爵、スコットランドの偉大なる家令および諸島の主。私たちは「皇太子殿下」と呼ぶのですが、彼の息子たちのウィリアムやハリーは「パパ」と呼んでいることでしょう。私たちが神の子どもとなるとき、天の王であられる方との親しい関係に入るのです。ジョン・ウェスレーは、回心する前も大変宗教的な人ではあったのですが、自分の回心について次のように述べています。「私は奴隷としての信仰を息子としての信仰と取替えたのだ」。

第三に、聖霊は私たちに、神との最も深い体験を与えてくださいます。「この霊こそは、わたしたちが神の子供であることを、わたしたちの霊と一緒になって証ししてくださいます」(16節)。聖霊の願いは、私たちが心の底から、神の子どもであることを知ることです。私が自分の子どもたちに、彼らに対する私の愛や彼らと私との関係について知って欲しい、体験して欲しいと願っているのと同じように、神も、神の子どもたちが、彼らに対する神の愛や彼らとご自分との関係について確信を持って欲しいと望んでおられるのです。

ケープタウンの大主教でもあった、南アフリカのビル・バーネット主教は、このことをかなり晩年になってから体験しました。彼が次のように話しているのを聞いたことがあります。「私が主教になったとき、私は神学(神についての真理)について信じていました。しかし、神ご自身を信じていなかったのです。つまり、私は実際には無神論者だったのです。私は良い行いで義と認められようとしていました」。ところが彼が主教になって15年たったある日、堅信式で「わたしたちに与えられた聖霊によって、神の愛がわたしたちの心に注がれているからです」（ローマ5:5）という、ローマの信徒への手紙のその個所を説教するために出かけました。説教を終え、家に帰って、一杯飲みながら新聞を読んでいると、神が「祈りに行きなさい」と言われていると感じたので、彼は教会堂へ行き、黙ってひざまずいていました。すると神が「あなたの身体を必要としている」と語られたように感じたのです。彼は背が高く、痩せていたので、「私はミスター・ユニバースではないのだが･･･」と思い、なぜ神がそのように語られたのか理解できませんでした。しかし、彼はとにかく身体のすべてを神に献げました。彼は次のように述べています。「すると、私が説教したことがまさに起こったのです。私は電気ショックのような神の愛を体験したのです」。彼は床に倒れ、「あなたはわたしの息子だ！」という神の声を聞きます。彼が起き上がったとき、彼自身に何か重大なことが起きたということが本当に分かったのです。この体験は彼の人生、そして働きの転機となりました。それ以来、バーネット主教の働きを通して、多くの人が聖霊の証しによる、神の子どもであることの体験に導かれています。

第四に、神の息子、娘であるということは、何ものにも勝る安全が与えられることであるとパウロは述べています。もし私たちが神の子どもであるなら、私たちは「相続人、しかもキリストと共同の相続人」（ローマ8:17）でもあります。当時のローマ法の下では、養子も父親の名前を継ぎ、財産を相続することができました。

神の子どもとして、私たちは相続人です。一般の相続との唯一の違いは、父親の死に際して相続するのではなく、私たち自身の死に際して相続するということです。ビリー・ブレイが、天の父が永遠の栄光と祝福を彼のために備えてくださっていると考えるだけで感激する理由は、まさにこれです。私たちはイエスとともに永遠の愛を享受するのです。

パウロはさらに「キリストと共に苦しむなら、共にその栄光をも受けるからです」(17節) と記しています。これは条件を言っているのではなく、客観的な事実を意味しています。クリスチャンは、イエス・キリストと同じようになるということです。これは、この世での拒絶や反対を受けるということを意味するかもしれません。しかし、これらは私たちが神の子どもとして相続するものとは比較することはできません。

神との関係を築き上げます

誕生が妊娠期間のクライマックスではありません。誕生は、新しい命、そして新しい関係の始まりなのです。私たちの親との関係は長い期間をかけて成長し、深められていきます。これは両親と一緒に過ごす時をもつことによって起こるのであって、一晩で起こるようなものではありません。

すでにいくつかの章で見てきたように、私たちと神との関係も、神との時間をもつことによって成長し、深められます。聖霊は、私たちが神との関係を深めるのを助けてくださいます。聖霊は父なる神の前へと私たちを導きます。「それで、このキリストによってわたしたち両方の者が一つの霊に結ばれて、御父に近づくことができるのです」（エフェソ2:18）。イエスを通して、聖霊によって、私たちは神の前に近づくことができるのです。

その十字架の死によって、イエスは、神と私たちとの間にあった障壁を取り除いてくださいました。私たちが神の前に行くことができるのはこのためです。しかし、私たちはしばしば祈るときにこのことを感謝することを忘れてしまいます。

大学時代、私はハイ・ストリートにあるバークレー銀行の上の部屋に住んでいました。よくランチ・パーティをこの部屋で開いていたのですが、ある日、私たちがたてる騒音が下の銀行で聞こえるかどうか、という議論をしていました。実際どうなのかを知るために、実験をしてみることになりました。ケイという名前の女の子が下の銀行に行きました。昼食時でもあったので、銀行はお客さんでいっぱいでした。段々と騒音を大きくしていくことに決めました。最初に、一人が床の上でジャンプをする。その後、二人、三人、四人、そして最後には五人でジャンプ。さらにはイスから飛び降り、次にはテーブルからという具合です。そのどの時点で、下の銀行でこの騒音が聞こえるのか知りたかったのです。

結果的に分かったことは、私たちが考えていたよりも銀行の天井は薄かった、ということです。最初のジャンプも十分に聞こえました。次のも大きな音を立てました。雷のように聞こえた五番目のジャンプ以降、銀行中が静まり返ってしまいました。小切手を現金化するのをやめ、そこにいた人たちは全員、何が起こっているのだろうと天井を見上げていたのです。ケイは銀行の真ん中で「どうしたらいいだろう？　今、私が出て行ったら変に思われるだろうし、ここにいても事態は悪くなる一方！」と考えながら、その場に留まっていたそうです。騒音はどんどん大きくなります。ついには天井のポリスチレン樹脂の欠片が落ち始めました。天井が本当に落ちるのではと恐れを抱いたケイは、私たちのところへ駆け上がってきて、下の銀行では十分よく聞こえると教えてくれたのでした。

イエスを通して、障壁が取り除かれたので、神は私たちの祈りを聞いてくださいます。聖霊によって、私たちはすぐに神の前に出ることができるのです。私たちは、神の注意を引くために飛び上がったりする必要はないのです。

聖霊は私たちを神の前へと導くだけでなく、私たちが祈るのを助けてくださいます（ローマ8:26）。どこで祈るかとか、どのような姿勢で祈るかとか、どんな祈りの形式を用いるのかなどは重要ではありません。大切なのは、聖霊によって祈っているかどうかなのです。すべての祈りは聖霊に導かれてなされるべきです。聖霊の助けなしでは、祈りは容易に命のないものとなり、退屈なものと化してしまいます。聖霊によって私たちは神ご自身へと導かれ、祈りが人生の最も重要な活動となるのです。

神との関係が深められていくもう一つの部分は、神が私たちに語られていることを理解することです。ここでも聖霊が理解できるように助けてくださいます。パウロは次のように述べています。「どうか、わたしたちの主イエス・キリストの神、栄光の源である御父が、あなたがたに知恵と啓示との霊を与え、神を深く知ることができるようにし、心の目を開いてくださるように･･･」（エフェソ1:17～18）。神の霊は、知恵と啓示の霊です。例えば、聖書を通して神が何を語っておられるのかを理解できるように、私たちの目を開いてくださるのです。

私はクリスチャンになる以前も聖書を読んだり、聖書に関してよく聞いたりしていましたが、理解はしていませんでした。私には何の意味もないと思っていました。私が理解することができなかったのは、聖書を理解するのを助けてくださる聖霊が私の内におられなかったからです。聖霊は、神の言葉を理解するための最高の助け手です。

究極的には、聖霊の助けによって私たちの目が開かれるまでは、キリスト教について理解することはできません。もちろん、信仰の一歩を歩き出すために必要なことは、分かるでしょう。これは盲目的な信仰ではありません。しばしば真の理解は、信じることによって始まるからです。カンタベリーのアンセルムが「私は理解するために信じる」（＊43）と言っているとおりです。私たちが信じて、聖霊を受けることによってのみ、神の啓示を真に理解することができるようになるのです。

神の霊は、私たちが神との関係を築くのを助けてくださり、その関係を維持するための力を与えてくださいます。クリスチャンとして人生をずっと送ることができるだろうかと心配する人たちがいますが、彼らの心配は間違ってはいません。自分の力ではそれはできません。しかし、聖霊によって、歩み続けることができるのです。聖霊が私たちを神との関係へと導き、またその関係を維持してくださるのも聖霊です。私たちは聖霊にまったく依存しているのです。

家族は似てきます

両親はお互いにまったく似ていないのに、子どもたちがその両親にそっくりなのを見ると、私はいつも驚いてしまいます。夫婦でも長年一緒に過ごすうちに、よく似てくることがあります。

私たちが神の前で過ごすうちに、神の霊は私たちを変えてくださいます。パウロは次のように記しています。「わたしたちは皆、顔の覆いを除かれて、鏡のように主の栄光を映し出しながら、栄光から栄光へと、主と同じ姿に造りかえられていきます。これは主の霊の働きによることです」(Ⅱコリント3:18)。私たちは道徳的な面でも、イエス・キリストのように変えられていきます。私たちの人生に御霊の実が結ばれるのです。パウロは私たちに「霊の結ぶ実は愛であり、喜び、平和、寛容、親切、善意、誠実、柔和、節制です」(ガラテヤ5:22〜23) と語っていますが、これらの性質を、聖霊は私たちの内に成長させてくださいます。すぐに完全になるわけではありませんが、時間をかけて変化が起こってくるのです。

霊の結ぶ実の中で第一の、かつ、最も重要な実は愛です。愛はキリスト教の中心を貫くものです。聖書は、私たちに対する神の愛の物語です。神は、私たちが神を愛し、隣人を愛することで神の愛に応答することを願っておられます。聖霊が私たちの人生に働いてくださっていることの証拠は、私たちの神に対する愛、そして、隣人に対する愛が増し加わることです。この愛がなければ、すべては無と帰してしまいます。

二番目にパウロがリストにあげているのは、喜びです。ジャーナリストのマルコム・マッガリッジは次のように書いています。「新生の最も特徴的で、私たちを高揚させる具体的な現れは、歓喜である。表現することのできないほどの喜びが私たちの存在そのものをおおい、私たちの持つ恐れを何でもないもののようにし、私たちの期待のすべてを天へと向けさせるのだ」(＊44)。この喜びは私たちの外的な状況によるのではありません。内在される聖霊によってもたらされるのです。リチャード・ウルムブランドは、彼の信仰のゆえに長年獄中生活を送り、度々拷問にあった人物ですが、この喜びについて次のように語っています。「牢屋に一人、寒く、飢え、ぼろを身にまとっていても、私は毎晩喜びに踊っていた。･･･時には、もしこの喜びを表さなかったなら、はち切れてしまうほどの喜びに満たされていたのだ」(＊45)。

三番目に挙げられている御霊の実は平和です。キリストを離れた心の平和は、柔らかくて甘い霊的なマシュマロのような実体のないものです。ヘブライ語の「シャローム」と同義のギリシヤ語には「完全さ」、「健全さ」、「健やかさ」、さらには「神との一致」という意味があります。そのような平和を人は誰でも求めているものです。紀元一世紀の異教的な立場の哲学者エピクテトゥスは、次のように述べています。「ローマ皇帝は、陸上や海上での戦争に平和をもたらすことはできるかもしれないが、人の熱情や悲しみ、ねたみを打ち消す平安をもたらすことはできない。彼は、人が外的な平和以上に求めている、心の平安を与えることはできないのだ」。

これらの御霊の実、また、その他の実が彼らの人生に豊かに結ばれ、イエス・キリストのような者へと変えられている姿を見るのは本当にすばらしいことです。私たちの教会員の80代の女性が、前の教区牧師のことを次のように表現していました。「彼はますます私たちの主のようになられているわ」。私はこれ以上のほめ言葉を知りません。どこへ行ってもキリストを知るという知識の香りを放つように、聖霊は私たちをますますイエスのように造りかえてくださるのです（Ⅱコリント2:14）。

家族の一致

キリストを信じ、神の息子、娘たちとなるとき、私たちはとても大きな家族に属することになります。どんな両親も願っているように、神は神の家族に一致があることを願っておられます。イエスは彼に従う者たちが一つであるように祈られました（ヨハネ17章）。パウロはエフェソのクリスチャンたちに「平和のきずなで結ばれて、**霊による一致**を保つように努めなさい」と懇願しています（エフェソ4:3、強調筆者）。どこにいようと、またどんな教派に属していようと、どんな生い立ちや肌の色、人種であったとしても、すべてのクリスチャンの中に同じ聖霊が住んでおられます。同じ聖霊がすべての神の子どもの内におられ、私たちが一つであることを願っておられるのです。実際、教会が分裂していることほど無意味で無益なことはありません。なぜなら、「体は**一つ**、霊は**一つ**･･･**一つ**の希望･･･主は**一人**、信仰は**一つ**、洗礼は**一つ**、すべてのものの父である神は**唯一**であって、**すべてのもの**の上にあり、**すべてのもの**を通して働き、**すべてのもの**の内におられ」（エフェソ4:4～6、強調筆者）るからです。

同じ聖霊がロシアや中国、アフリカやアメリカ、英国や他のどの国のクリスチャンの内にも住んでおられます。私たちがどの教派に属しているかは重要なことではありません。カトリックやプロテスタント：ルーテル、メソジスト、バプテスト、ペンテコステ、聖公会や家の教会、どのクリスチャンも同じなのです。より重要なことは、神の霊がその人の内に住んでおられるかどうかです。もし、聖霊が内に住んでおられるなら、その人はクリスチャンであり、私たちの兄弟、姉妹なのです。このとても大きな家族に属することは大変名誉なことです。キリストを信じることの大きな喜びの一つは、この一致を体験することです。私自身、それ以外のところでは体験したことのない、親しく、深い交わりがキリストの教会にはあります。スモール・グループや教会の礼拝、地域教会、それに世界に広がる教会といったすべてのレベルで、この一致を保つための努力を私たちはしていかなければなりません。

すべての子どもたちへの贈物（賜物）

家族はしばしばよく似ていますし、家族に一致があることは望ましいのですが、同時に多様性に富んでいます。まったく同じ二人の子どもはいませんし、一卵性双生児であっても完全に同じではないのです。これはキリストの体に関しても言えることです。すべてのクリスチャンはそれぞれ違う存在です。それぞれが違った貢献をすることができますし、持っている賜物も違います。新約聖書には御霊の賜物のリストが記されています。パウロはコリントの信徒への手紙一で九つの賜物を挙げています。

> 一人一人に“霊”の働きが現れるのは、全体の益となるためです。ある人には“霊”によって知恵の言葉、ある人には同じ“霊”によって知識の言葉が与えられ、ある人にはその同じ“霊”によって信仰、ある人にはこの唯一の“霊”によって病気をいやす力、ある人には霊を見分ける力、ある人には種々の異言を語る力、ある人には異言を解釈する力が与えられていま

す。これらすべてのことは、同じ唯一の“霊”の働きであって、“霊”は望むままに、それを一人一人に分け与えてくださるのです（Ｉコリント12:7～11）。

パウロは別の個所で他の賜物について述べています。使徒、教師、援助する者や管理する者（Ｉコリント12:28～30）、伝道者や牧師（エフェソ４章）、奉仕、勧め、施し、指導、慈善の賜物（ローマ12:7）、もてなしや語る賜物（Ｉペトロ4章）などです。もちろん、このリストがすべての賜物を網羅しているわけではありません。

すべての良い贈物は神からのものです。奇跡のように、この世界における神の超自然的な働きをより明らかにする賜物もそうです。また、聖霊によって造りかえられた生来の才能なども、霊的な賜物に含まれます。ドイツの神学者ユルゲン・モルトマンは次のように指摘しています。「原則として、人間のすべての可能性や能力は、個人的な召命を通して、それらがキリストのために用いられるときにのみ、御霊の賜物となりうる」。

これらの賜物はすべてのクリスチャンに与えられています。「一人一人に」という表現は、コリントの信徒への手紙一12章全体を通して、まるで一本の糸のように貫いています。すべてのクリスチャンはキリストの体の一部です。キリストの体には様々な部分がありますが、一つの体です（12節）。私たちは一つの霊によって洗礼を受けるのです（13節）。私たちは皆一つの霊をのませてもらうのです（13節）。クリスチャンに一流、二流はありません。すべてのクリスチャンが聖霊を受けているのです。それぞれに霊の賜物が与えられているのです。

これらの賜物を用いることが緊急に必要です。教会の持つ主要な問題の一つは、ほとんどのクリスチャンが賜物を用いていないということです。教会成長の専門家エディ・ギブスが「現在の国内の失業率の高さも、教会のその問題の前にはまったく色褪せてしまう」（＊46）と語っていますが、結果的には、多くの人たちは用いられないまま、ごくわずかの人が教会のすべての働きをしていて、そのために彼らは疲れきっているのです。教会は、サッカーの試合のようにたとえられてきました。何としても休息を必要とする22人がプレイするのを、運動を必要とする何千という人がじっと観ている、という状況なのです。

それぞれのクリスチャンが自分の役割を果たさない限り、教会は、その最大の効果をあげることはできません。作家で教会リーダーのディビッド・ワトソンが指摘しているように、「伝統はそれぞれ異なるが、教会は長年、説教中心であるか、典礼中心であった。どちらであれ、主要な役割は牧師や司祭たちによって果たされてきた」（＊47）。教会は、すべてのクリスチャンがそれぞれの賜物を用いることによって、効果的な働きを進めていくことができるのです。

聖霊は私たち一人ひとりに賜物を与えています。神は、私たちが多くの賜物を持つことを求めてはおられません。しかし、それぞれが与えられた賜物を用いること、その上でさらにすぐれた賜物を求めることを願っておられるのです（Ｉコリント12:31、14:1）。

成長していく神の家族

家族が成長することは自然なことです。神はアダムとエバに「生めよ、増えよ」と語られました。ですから、神の家族が成長することも自然なことなのです。この成長も聖霊の働きによってなされます。イエスは言われました。「あなたがたの上に聖霊が降ると、あなたがたは力を受けます。そして、エルサレムばかりでなく、ユダヤとサマリアの全土で、また、地の果てに至るまで、わたしの証人となる」（使徒言行録1:8）。

神の御霊は私たちに、他の人たちに伝えたいという願いと、そのための力を与えてくださいます。劇作家のマーレイ・ワッツは、キリスト教の真理を確信してはいるのだけれど、クリスチャンであることを告白しなければならないという考えに対する恐れで身動きできなくなっている一人の青年について語っています。宗教に走ってしまったと言われる危険が伴うので、新たに見出した信仰について誰かに語ることは、彼にとって恐ろしいことだったのです。

数週間も、彼は宗教に関する考えを頭の中から消してしまおうと努力したのですが、結局無駄なことでした。「わたしに従ってきなさい」というささやきが、彼の心に何度も何度も語られているかのように聞こえたのです。

とうとう彼はもう耐えることができなくなり、クリスチャンとしてほぼ一世紀の人生を過ごしてきた一人の老人のところへ行きました。彼はその老人に自分の悪夢、つまり、この「光について証しする」という大変な重荷、また、その恐れが、彼がクリスチャンになるのを妨げていることを話しました。老人は深くため息をつき、頭を横に振りました。そして、「これは、君とキリストとの間の問題だ」と言ったのです。「なぜ、他の人たちをこの問題の中に入れようとするのかね？」青年はゆっくりと頷きました。

「家に帰りたまえ」と老人は言いました。「寝室で一人になりなさい。世の中のことなど忘れてしまいなさい。家族も忘れてしまいなさい。そして君と神との間の秘密にすればいい」。

老人の話を聞きながら、この青年は重荷から解放されたように感じました。「それはつまり、だれにも話す必要はないということですね」。

「そうだよ」老人は答えました。

「まったくですか？」

「もし君が話したくないなら、そうだ」。これまでだれもこのような助言をくれる人はいなかったのです。

「本当ですね？」青年は期待に身体を震わせながら尋ねました。「これは正しいことでしょうか？」

「君にとっては正しいことだ」と老人は言いました。

そこで青年は家に帰り、ひざまずいて祈り、キリストを信じたのです。すぐに彼は階段を駆け下り、妻と父親と三人の友人たちが座っていたキッチンにいき、興奮に息を切らせて言いました。「みんな知っていた？　自分がクリスチャンだってことは、誰にも言う必要はないんだって！」（＊48）

私たちが神の御霊を体験すると、私たちは他の人に伝えたくなるのです。そして、私たちが伝えるときに、神の家族は成長します。クリスチャンによる家族は変化に乏しいものであってはなりません。絶えず成長し、新しい人びとを導き入れるべきです。そして、その新しい人びとも聖霊の力を受け、出て行って、他の人びとにイエスについて語るようになるのです。

私はこの章の中で、すべてのクリスチャンには聖霊が宿っておられると強調してきました。パウロは次のように言っています。「キリストの霊を持たない者は、キリストに属していません」（ローマ8:9）。しかし、すべてのクリスチャンが聖霊に満たされているわけではありません。パウロはエフェソのクリスチャンたちに語っています。「霊に満たされなさい」(エフェソ5:18)。次の章では、どのようにして聖霊に満たされるかを見ていきたいと思います。

前の章は創世記1章1～2節（聖書の最初の節）から始めましたので、この章はヨハネの黙示録22章17節（聖書の最後の節)を見て終わりたいと思います。神の霊は創世記から黙示録まで、聖書全体を通して働いておられます。

「“霊”と花嫁とが言う。『来てください』。これを聞く者も言うがよい、『来てください』と。渇いている者は来るがよい。命の水が欲しい者は、値なしに飲むがよい」(黙示録22:17)。

神は聖霊によって私たちすべての者を満たしたいと望んでおられます。ある人たちは満たされることを求めています。聖霊の満たしが必要かどうか分からない人たちもいます。そういう人たちの内には渇きがないからです。もしあなたに聖霊の満たしへの渇きがないなら、渇きが与えられるように祈ってみませんか？　神は私たちをありのままで受け入れてくださいます。私たちが渇いて求めるときに、神は「値なしに飲むことができる命の水」を与えてくださるのです。

10

聖霊に満たされるには？

伝道者のJ.ジョンは、かつてある大会で、説教についての講演をしました。その講演の中で彼が指摘したことの一つは、しばしば説教者たちは聴衆に何かをしろと熱心に勧めるが、それを具体的に**どのように**するかは決して語らない、ということです。彼らは「聖書を読みなさい」と言います。ジョンはそのような説教者たちに尋ねたいと言います。「はい、でもどのように読めばいいのですか？」説教者たちは「もっと祈りなさい」と言います。「はい、でもどのように祈ればよいのですか？」さらに彼らは「イエスのことを人びとに伝えなさい」と言います。「はい、でもどのように伝えればよいのですか？」この章では「聖霊に満たされるには？」という問いについて考えていきたいと思います（＊49）。

私の家には旧式のガスボイラーがあります。点火用の種火（パイロットランプ）はいつもついています。しかし、ボイラーがいつも熱と力を供給しているわけではありません。ある人たちは、彼らの人生に聖霊の種火だけを持っていますが、人びとが聖霊に満たされるときに、すべてのシリンダーが燃え始めるのです（例えがごちゃまぜになっていることをお許しください！）彼らの様子を見ていると、その違いを見ることも、感じることもできるほどです。

使徒言行録は教会の歴史の第一巻とされてきました。

使徒言行録の中に、私たちは聖霊を体験した人びとのいくつかの事例を確認することができます。理想としては、すべてのクリスチャンが回心の瞬間から聖霊に満たされていることです。時としてそのようなことが起こることがありますが(新約聖書の中でも、現在でも)、しかし、新約聖書の中でも、いつもそうではありません。すでに使徒言行録2章で、五旬祭の日に、最初に聖霊が注がれた出来事について学びました。使徒言行録をさらに読みながら、その他の事例を見ていきたいと思います。

ペトロとヨハネがサマリアの信者たちのために祈り、聖霊が彼らの上に降ったとき、魔術師シモンは、同じようなことができるようになるために金を払おうとしたほど感銘を受けました（使徒8:14〜18)。ペトロは、神の賜物を金で買おうとするのはとんでもないことだと彼に警告しました。しかし、この出来事は、何か大変すばらしいことが起きたに違いないことを示しています。

次の章（使徒9章）には、歴史上、最も顕著な回心の例が記されています。最初のクリスチャンの殉教者ステファノが石で打ち殺されたとき、サウロはその死に賛成していました(使徒8:1)。後に彼は教会を破壊するようになりました。家々を回っては、男も女も引きずり出し、牢に入れていました(3節)。9章の最初でも、サウロはまだ「主の弟子たちを脅迫し、殺そうと意気込んで」いたのです。

しかし数日間のうちに、サウロは、ユダヤ人の会堂で「イエスは神の子である」(20節）と宣べ伝えています。彼は、「あれは、エルサレムでこの（イエスの）名を呼び求める者たちを滅ぼしていた男ではないか？」と人びとが問うほどの大きな驚きをもたらしました。

サウロをここまで完全に変えるほどの、何が、その数日間にあったのでしょうか。第一に、ダマスコへ行く途中で、彼はイエスに出会いました。第二に、彼は聖霊に満たされたのです(17節)。その瞬間、「目からうろこのようなものが落ち、サウロは元どおり見えるようになった」(18節) のです。クリスチャンではない人や、キリスト教に強く反発している人などが、キリストのもとへ来て、聖霊に満たされたときに、彼らの人生がまったく方向転換するということが時として起こります。そしてそのような体験をした人たちは、キリスト教の信仰の強力な証人となりうるのです。

エフェソでは、パウロは、「信仰に入った」が聖霊については聞いたこともない、という人たちのグループに出会いました。パウロが彼らの上に手を置くと、聖霊が彼らの上に降り、異言を話したり、預言したりしたのです(使徒19:1～7)。今日でも同じような立場の人たちがいます。彼らは、すでに、ある期間、もしくは一生の間、神を信じていたかもしれません。洗礼も受け、堅信礼も終え、時々、または定期的に教会に通っているかもしれません。しかし、聖霊に関しては、少しだけ、もしくはまったく知らないという状態かもしれません。

使徒言行録の最初の方に、もう一つの出来事が記されているので、少し詳しく見ていきたいと思います。それは異邦人が初めて聖霊に満たされたときのことです。コルネリオという男(最初の幻ですでに備えられていました)に幻を与えられたことをきっかけに、神は驚嘆することを行われたのです。神はペトロにも幻を通して語られ、彼に、コルネリオという男の家に行き、異邦人たちに話をするよう指示されたのです。そしてペトロの話の途中で驚くことが起きたのです。「御言葉を聞いている一同の上に聖霊が降った。割礼を受けている(ユダヤ人)

信者で、ペトロと一緒に来た人は皆、聖霊の賜物が異邦人の上にも注がれるのを見て、大いに驚いた。異邦人が異言を話し、また神を賛美しているのを、聞いたからである」(使徒10:44～46)。本章の残りの部分で、この出来事に関する三つの事柄について詳しく見ていきたいと思います。

彼らは聖霊の力を体験しました

ペトロは途中で話を止めなければなりませんでした。何かが起きていたのは明らかだったからです。聖霊に満たされるという体験は、人によってそれぞれ違いますが、それは、気づかないような形で起こることはまれです。

ペンテコステの日(使徒2章)の描写の中で、ルカは激しい熱帯の暴風雨を意味する言葉を使っています。聖霊の力が人びとの存在そのものに満ち溢れている様を表しています。また具体的な兆候が現れていました。激しい風の音(2節)、実際に風が吹いてきたのではありませんが、激しい風のような音をそこにいた人びとは聞いたのです。それは神の「ルアッハ」の目に見えない大いなる力でした。この言葉「ルアッハ」は、旧約聖書では「風」、「息」、「霊」を意味します。時々、人びとが聖霊に満たされると、風に揺れる木の葉のように震えることがあります。他にも、まるで聖霊を実際に吸い込んでいるように、呼吸している人びとがいます。

またペンテコステの日に、人びとは炎のようなものを目撃しました(3節)。聖霊の満たしには時として、実際に熱さを感じることがあります。人びとは、手や体の他の部分に熱を体験しています。ある人は「身体中が燃えているような」感覚、別の人は「液体のような熱さ」を体験したと表現しています。また、「暑くはないのに、両腕が燃えているようだった」と言う人もいます。炎は聖霊が私たちの人生にもたらす、力と情熱と清らかさを象徴するのではないでしょうか。

多くの人にとって、聖霊の体験は、神の愛に圧倒されるような体験かもしれません。パウロは、エフェソのクリスチャンたちのために、「すべての聖なる者たちと共に、キリストの愛の広さ、長さ、高さ、深さがどれほどであるかを理解」する力を持つことができるように祈りました（エフェソ3:18）。キリストの愛は、世界中のすべての人に届くほど広いものです。その愛はすべての大陸、すべての人種、肌の色、民族や人びとの背景を超えて届きます。また、キリストの愛は、人の生涯、そして、永遠に至るほど長いものです。さらにどんなに私たちが堕落してしまっても、キリストの愛はそこに届くほど深いものです。そして、私たちを天国へと引き上げるほど高いのです。私たちはこの崇高な愛をキリストの十字架に見ることができます。キリストが私たちのために死んでくださったので、私たちは、キリストの私たちへの愛を知るのです。パウロはまさにこの愛のすべてを理解することができるようにと祈っているのです。

しかし、彼はそこで終わってはいません。パウロは私たちが、「**人の知識をはるかに超える**この愛を**知る**ようになり」、「神の満ちあふれる豊かさのすべてにあずかり、それによって満たされるように」と祈りを続けています（19節）。キリストの愛を理解するだけでは十分ではありません。私たちが「人の知識をはるかに超える」キリストの愛を、体験することが必要です。人びとが聖霊に満たされるときには、しばしば、この変化をもたらすキリストの愛を体験し、「神の満ちあふれる豊かさのすべてにあずかり、それによって満たされ」(19節) ます。

300年前の清教徒の一人であるトーマス・グッドウィンは、この体験を次のように表現しています。一人の男が小さな息子と一緒に歩いています。この少年は一緒に歩いているこの男が自分の父親であること、また、父親が自分のことを愛していることを知っています。そのとき、突然、父親は立ち止まり、少年を抱き上げ、胸にしっかりと抱きしめてキスをしました。それから、父親は息子を下におろして、また二人で一緒に歩き続けるのです。父親と手をつないで歩くことはすばらしいことですが、父親の胸にしっかりと抱きしめられることは、それに比べることができないほど素晴らしいことです。

「神は私たちをしっかりと抱きしめてくださった」とスポルジョンは言っています。神は私たちにご自分の愛を注ぎ、私たちを抱きしめてくださるのです。マーチン・ロイド・ジョーンズは、ローマの信徒への手紙の註解書の中で、他の多くの例の中に次のような例を引用し、聖霊の体験について語っています。

> 私たちはこの体験の深遠なる性格を認識したい。この体験は軽いものでも、薄っぺらなものでも、平凡なものでもない。「感情など意に介しなくてもよい」などと言うことができないものである。自分の感情が気になる？ この体験がもたらす深い感情は、人生で今までに決して体験したことのないようなものなのだ。人が知ることのできる最も深遠な体験なのである (＊50)。

彼らは賛美へと解き放たれました

異邦人たちが聖霊に満たされたとき、彼らは「神を賛美」しはじめました。自然に湧き上がってくる神への賛美は、神を体験した人びとの興奮と感動をあらわす言葉です。神への賛美は、感情も含め、私たちのすべての存在をもってささげることが必要です。次のように私に質問する人がいます。「教会で感情を表わしてもよいのでしょうか?　感情的になる危険性があるのではないでしょうか?」

私たちにとって、神との関係における危険性とは、感情的になるということよりも、感情の欠如、何も感じないということです。私たちの神との関係は、むしろ冷たい可能性があるのです。愛の関係は、どんなものでも感情が伴います。もちろん、感情だけでは十分ではありません。愛の関係には、友情やコミュニケーションや相互理解やお互いに仕えることも不可欠です。しかし、もしも私が妻に対して何の感情も表さなかったなら、私の妻への愛には、何かが欠けているということでしょう。それと同じように、もし、神との関係において私たちが何も感じないなら、私たちの全人格が関わっていないことになります。私たちは自分の全存在をもって神を愛し、賛美し、礼拝するように召されているのです。

プライベートな状況で感情的になるのはかまわないが、公の場所で感情をあらわにするのはどうか、という議論が確かにあります。カンタベリー大主教が出席したブライトンでのカンファレンスの後、教会における感情に関する記事がタイムズ誌に発表されました。「ケアリーのカリスマ」というタイトルの記事には次のように書かれていました。

> コメディ映画が笑いを生み出したら、その映画は成功と言えるだろう。悲劇が演じられ、観客が涙すれば、その舞台は感動的だとされる。サッカーの試合で観客が興奮すれば、その試合はエキサイティングなものとみなされる。しかし、教会に集う会衆が礼拝において神の栄光に感動したら、なぜ感情的だと非難されてしまうのだろうか？

もちろん、感情が聖書を確かな土台とする教えよりも重要だというような、感情的になりすぎるということはあります。しかし、コベントリーの司教を務めたカスバート・バーズレイはかつてこのように語っています。「英国国教会の主たる危険性は、錯乱したように感情的になることではない」。次のように付け加えることができるでしょう。「他の教会においても同じである」。私たちの神への礼拝は、全人格、つまり、理性、心、意志、感情のすべてをもって行われるべきなのです。

彼らは新しい言葉を授けられました

ペンテコステの日、そして、エフェソのクリスチャンたち（使徒19章）のように、異邦人たちが聖霊に満たされたとき、彼らは異言の賜物を受けました。この「異言」と訳されている言葉の語源は「言語」と同じもので、習得したことのない言語を話すことができる能力を意味しています。これには、理解することができない天使の言葉（Ｉコリント13:1）である場合と、理解できる人間の言語である場合（ペンテコステの日の出来事のように）とがあります。私たちの教会員の一人、ペニーという若い女性が他の女性と祈っていたときのことです。ペニーは、英語では祈る言葉に行き詰ってしまい、異言で祈り始めました。すると相手の女性は目を開けて笑い始めました。彼女は、「あなたは私に今、ロシア語で話していたわよ」と言いました。彼女はイギリス人でしたが、ロシア語が好きで、ロシア語を流暢に話し熱心に学んでいたのです。ペニーは「私は何て言っていたの？」と尋ねました。すると彼女は、ペニーが「わたしの愛する子よ」と何度も何度も繰り返していた、と言ったのです。ペニーはロシア語など、ひとことも話せません。ですからこの若い女性にとって、その言葉は大変重要な意味を持っていたのです。神にとって、自分が大切な存在であることを、彼女は確信することができたからです。

異言の賜物は、多くの人に大きな祝福をもたらしています。この賜物はすでに見てきたように、聖霊の賜物の一つです。それは、ただ一つの賜物でも、最も重要な賜物でもありません。すべてのクリスチャンが異言を語るのではありません。また、聖霊に満たされていることのしるしであるともかぎりません。聖霊に満たされていながら、異言を語らないこともありうるのです。しかし、新約聖書に書かれていて、クリスチャンたちの経験からも言えることですが、多くの人にとって、異言は聖霊の体験に伴うものであり、聖霊の超自然的な働きの最初の目に見える形での体験ともなりうるものです。今日、多くの人はこの賜物にとまどっています。ですから、この章ではかなりのスペースをさいてこのことについて学んでいきたいと思います。パウロはコリントの信徒への手紙一14章の中で、この賜物に関してのいくつかの質問を取り上げています。

異言の賜物とは何ですか？

異言を語ることは、祈りの一つの形で(新約聖書には数多くの祈りの形が記されています)、パウロによれば、「異言を語る者は、人に向かってではなく、**神に向かって**語っています」(Ｉコリント14:2、強調筆者)。それはクリスチャン一人ひとりを造り上げる祈りの形です (4節)。直接的に教会を成長へと導く賜物の方がより重要なのは明らかですが、だからといって異言の賜物が重要でないとは言えません。人間の言語能力の限界を超えた祈りの形である点で、異言は有益なのです。これが「わたしが異言で祈る場合、それはわたしの霊が祈っているのですが、理性は実を結びません」(Ｉコリント14:14)と言っているパウロの意味することです。

私たちは誰でも、多かれ少なかれ、言葉の限界があります。平均的なイギリス人は英語の単語5,000語を知っているそうです。ウィンストン・チャーチルは50,000語も使っていたと言われています。しかし、その彼にも限界がありました。人びとはしばしば人間関係において、自分の感情を言葉で上手に表現することができなくてがっかりします。心ではいろいろ感じているのですが、それをどのように言葉にすればよいのか分からないのです。これは私たちの神との関係においても言えることです。

まさにこのような場合に、異言の賜物は大きな助けとなるのです。私たちが心の中で本当に感じていることを英語に置き換えるというプロセスを経ずに、神に向けて表現することを可能にするのが、この賜物です。(だからパウロは「理性は実を結びません」と言っているのです）。何も考えていないということではありません。ただ、理解できる言語に置き換えるというプロセスを経ていないので理性は実を結ばないのです。

どのようなところで異言は役に立つのですか？

この賜物が多くの人に特に役立っている、三つの分野があります。

まず、**賛美と礼拝**の分野です。特にこの分野で私たちの言葉には限界があります。子ども（大人でも言えることです）が、お礼の手紙を書くとき、すぐに言葉を使い果たしてしまいます。そして、「愛らしい」とか「素晴らしい」、「すてきな」などの言葉を何度も繰り返しているのに気づくものです。賛美と礼拝においても、私たちはしばしば言葉の限界に突き当たってしまうのです。

私たちが聖霊に満たされるときは特に、神を賛美し、礼拝し、私たちの愛を表現したいと熱望します。異言の賜物は、人間の言葉の限界を越えて、そのことを可能にします。

第二に、この賜物は、**困難な状況の中で**祈る際に大変役立ちます。私たちの人生には、どのように祈ったらよいか分からないときがあります。私たちが、いくつもの問題、心配や悲しみに押しつぶされそうになることもあるからです。少し前のことですが、結婚して一年しか経っていないのに、奥さんをガンで亡くした26歳の男性のために祈ったことがあります。彼は、求めてすぐに異言の賜物を受けました。そして、その異言の祈りの中で、内側に押し込んでいた彼の人生のすべてのものが流れ出たかのようでした。後に彼が語ってくれたのですが、これらすべての重荷を神に委ねることができて心底ホッとしたそうです。
私も同じことを経験した一人です。1987年のことですが、教会のスタッフと打ち合わせのミーティングをしていたとき、私の母が心臓発作を起こし、病院に運ばれたという知らせを受けました。大通りへ急ぎ、タクシーを捕まえて病院へと向かいました。このときほど異言の賜物に感謝したことはありません。私は一生懸命祈ろうとしたのですが、英語でまともに祈ることができないほどショックを受けていました。この異言の賜物によって、病院までの道中祈り続けることができ、この危機的な状況を神に委ねることができたのです。
第三に、**他の人のために祈るとき**に、この賜物が役立つことを多くの人は体験しています。他の人びとのために祈ることは難しいものです。特にまだ会ったことのない人や、しばらく連絡をとっていない人はなおさらです。祈り続けてしばらくすると、「主よ、彼らを祝福してください」という祈りで精一杯になるのではないでしょうか。他の人びとのために祈るとき、まず異言で祈りはじめるとよいでしょう。そうする内に、神はしばしば私たちに祈る言葉を与えてくださいます。
異言で祈ることは、決して自己中心的な行為ではありません。「異言を語る者が自分を造り上げる」(Ⅰコリント14:4)とありますが、この祈りの間接的な効果には絶大なものがあります。ジャッキー・ポリンジャーは、この賜物を使いはじめてから体験した自分の働きの変化について、次のように語っています。

毎日15分間、私は、神が手を差し伸べたいと願っておられる人たちのために祈ることができるよう求めながら、聖霊が与えてくださる言葉で祈りました

> が、何も感じることができませんでした。しかし、この祈りを続けて6週間が経ったときに、私は何の努力もなしに主イエスへと人びとを導くようになったのです。ギャングのメンバーたちが道端でひざまずいては泣き、女性たちはいやされ、麻薬中毒者たちが奇跡的に解放されました。これらの出来事は、私自身とはまったく関係なしに起きていたのです。

また、この体験は彼女が他の聖霊の賜物を受けるきっかけとなりました。

> 友人たちとともに、私は他の聖霊の賜物についても学ぶようになりました。そして、私たちは驚くべき働きがなされた数年を体験しました。何人ものギャングのメンバー、裕福な人たち、学生や教会の牧師たちが神の前に悔い改め、その人びとすべてが個人的に祈るために新しい言葉を受け、一緒に集うときに用いるために、他の賜物を受けたのです。私たちはいくつかの家を麻薬中毒に悩む人たちを収容するために開放しました。そこで聖霊の力によって、すべての人が何の苦痛もなく、その依存症から解放されたのです（＊51）。

パウロは異言を語ることを承認していますか？

コリントの信徒への手紙一14章が書かれた背景は、教会の公の場において異言が過度に用いられていたことです。パウロは「わたしは他の人たちをも教えるために、**教会では**異言で一万の言葉を語るより、理性によって五つの言葉を語る方をとります」（19節、強調筆者）と言っています。パウロがコリントにやってきて、異言で説教したとしても何の目的も果たせなかったでしょう。だれかが解き明かしをしない限りはコリントの人たちは理解することができなかったからです。ですから、公の場所での異言の用い方についてのガイドラインをパウロは示したのです（27節）。

しかし、パウロは、異言を語ることが禁じられてはならないことも、はっきりと述べています(39節)。また、この賜物の個人的な使用（一人で神に向かうときに使う）に関しては、熱心に奨励しています。彼は「あなたがた皆が異言を語れるにこしたことはない」(5節）と、さらに「わたしは、あなたがたのだれよりも多くの異言を語れることを、神に感謝します」(18節）と語っています。これは、すべてのクリスチャンが異言を語らなければならないとか、異言を語らない人は二流のクリスチャンだという意味ではありません。クリスチャンには一流も二流もありません。また、異言を語らないと神からの愛が少なくなるというわけでもないのです。とは言え、異言の賜物は神からの祝福であることは確かです。

どのようにすれば
異言の賜物を受けることができるのですか？

ある人は「異言の賜物など欲しくない」と言うかもしれません。神は賜物を押しつける方ではありません。異言は聖霊のすばらしい賜物の一つであり、すでに前の章で学んだように、唯一の賜物というわけではありません。この賜物は他のすべての賜物と同様、信仰によって受けとるのです。

すべてのクリスチャンが異言を語るわけではありませんが、同時にこの賜物を願っている人は、誰でも受けることができるのです。パウロは、異言を語ることが、クリスチャン生活のただ一つの、そして最終的目標とは言ってはいませんが、大変役立つ賜物であることは語っています。もしあなたが求めるなら、受けとることができない理由などないのです。

神のすべての賜物と同じように、私たちは聖霊に協力することが必要です。神は私たちに賜物を押しつけることはなさいません。私がクリスチャンになったばかりのとき、聖霊の賜物は使徒の時代（紀元1世紀）にすたれてしまったとどこかで読みました。賜物は現代のためではないというのです。最初に異言を語ることについて聞いたとき、私は賜物が現代のためのものではないことを確かめようとしました。ですから、異言のために祈りましたが、口はしっかりと閉じたままでした！ そして、私は異言で祈れなかったので、これはまさに、聖霊の賜物が使徒の時代とともにすたれた証拠と思ったのです。

ある日、聖霊に満たされ、異言の賜物を受けたばかりの二人の友人が、私に会いにやって来ました。私は彼らに、聖霊の賜物は使徒の時代にすたれてしまったと確信をもって言いましたが、彼らの様子が何か違うということは明らかでした。彼らは新しい輝きを発していたのです。その輝きは数年も経った今も続いています。その二人の友人たちのために祈った人たちに、私も聖霊に満たされて異言の賜物を受けたいから祈ってほしいとお願いしました。彼らに祈ってもらったとき、私は聖霊の力を体験しました。彼らは、もし私が異言の賜物を受けたいなら、神の霊・聖霊に協力し、口を開いて、英語や知っている言語以外ならどんな言葉でもいいから、神に向かって語りはじめることが必要であると説明してくれました。私がそのようにしたときに、異言の賜物も受けることができたのです。

何が聖霊に満たされることを妨げるのでしょうか？

あるとき、イエスは弟子たちに、祈りと聖霊について教えておられました（ルカ11:9～13)。この個所でイエスは、神から賜物を受けとることを妨げる主な理由について語っています。

疑い

神から賜物を受けるということに関しては、多くの疑いを抱きやすいのですが、その主な一つが「もし私が願ったら、受けることができるのだろうか？」というものです。

イエスは単純に語っています。「求めなさい。そうすれば、与えられる」。

イエスは、弟子たちが少々懐疑的なのを見たからでしょう、違った表現で繰り返しています。「探しなさい。そうすれば、見つかる」。

そしてイエスは三度目に次のように言われました。「門をたたきなさい。そうすれば、開かれる」。

イエスは私たち人間の性質をよくご存知でしたので、四度目に次のように語りました。「だれでも、求める者は受ける」。

弟子たちはまだ納得していなかったので、五度目に言われました。「だれでも、探す者は見つける」。

そして、六度目です。「だれでも、門をたたく者には開かれる」。
　なぜイエスは六度も語られたのでしょうか？　なぜなら、イエスは私たちのことをよくご存知だったからです。神が私たちに、何でも ― 言うまでもなく、聖霊や聖霊によってもたらされる賜物のような、通常では考えられないほどのすばらしいものを ― 与えてくださると信じることは、私たちには難しいのです。

恐れ

　私たちが、疑いという最初のハードルを乗り越えたとしても、恐れという次のハードルに足をとられることがあります。恐れとは、私たちが受けとるものに関する恐れです。それは私たちにとって良いものだろうか、という恐れです。
　イエスは、人間の父親のたとえを用いて説明されました。子どもが魚を求めているのに、ヘビを与えるような父親はいません。また子どもが卵を欲しがっているのに、さそりを与えるような父親もいないのです（ルカ11:11～12）。私たちが、自分の子どもにそんな扱いをするなど考えられないことです。イエスはさらに、神と比較するならば、私たちは悪い者であると言われました！　もし私たちが自分の子どもをそのように扱わないなら、神が私たちをそのように扱われることなど、到底考えられないことです。神は決して私たちをがっかりさせたりなさいません。もし私たちが聖霊を求め、聖霊によってもたらされる賜物を願うなら、まさにそのものを私たちは受けるのです（ルカ11:13）。

自分はふさわしくないという思い

もちろん、人をゆるせない思いや他の罪が私たちにないこと、また悪いと分っていることすべてに背を向けていることは、重要なことです。しかし、それらがきちんとできていても、私たちはしばしば、自分は受ける価値などない、また自分はふさわしくないといった、漠然とした思いを抱いてしまうことがあります。神が何かを与えてくださるということが信じられなくなるのです。神は、しっかり成長したクリスチャンには賜物を与えられるだろうと信じることはできても、それは自分ではないと思ってしまうのです。しかし、イエスは「まして天の父はしっかりと成長したクリスチャンに聖霊を与えてくださる」とは言われませんでした。「まして天の父は求める者に聖霊を与えてくださる」(ルカ11:13、強調筆者)と言われたのです。

もしあなたが聖霊に満たされることを望むなら、あなたのために一緒に祈ってくれる人を見つけるとよいでしょう。一緒に祈ってくれる人がいなくても、自分一人で祈ってはいけないという規則はありません。異言の賜物を受けずに聖霊に満たされる人もいます。この二つが同時に与えられないこともあるのです。しかし、新約聖書において、聖霊に満たされることと異言を語ることはしばしば同時に起こっています。ですから、両方が与えられるよう祈らない理由はないのです。

もしあなたが一人で祈る場合は：

1. 神から賜物を受けるのに妨げとなるものがあるなら、そのゆるしを神に求めましょう。
2. あなたの人生の中で、悪いと分かっていることには背を向けましょう。

3．聖霊に満たされるように求めましょう。見つけるまで探しましょう。門が開かれるまでたたきましょう。心から神に願いましょう。
4．異言の賜物を受けたいと願っているなら、求めましょう。そして、口を開いて、英語やそのほか知っている言語以外の言葉で神を賛美しはじめましょう。
5．受けとったものが神からのものであることを信じましょう。だれにも、あなたがでっちあげたなどと言わせてはなりません。（あなたが自分の力でなしたのではないことはほぼ確実です）。
6．異言で祈り続けましょう。言語の発達には時間がかかります。ほとんどの場合、大変限られた語彙からはじまります。そして、徐々に成長していきます。異言も同じです。この賜物を十分に用いることができるようになるにも時間がかかります。決して、あきらめないでください。
7．もし他の賜物も求めていたなら、それらの賜物を用いる機会を探しましょう。すべての賜物は用いることによって磨かれていくことを忘れないでください。

聖霊に満たされることは、一回限りの体験ではありません。ペトロは、使徒言行録の2章から4章の間（使徒2:4、4:8,31）に、三度も聖霊に満たされました。パウロは「霊に満たされなさい」（エフェソ5:18）と記したとき、現在進行形を表す言葉を使い、聖霊に満たされ続けることを、当時の人びと、そして、私たちにも勧めているのです。

11

悪に対抗するには？

英語の神（God）と善（good)、そして悪魔（devil）と悪（evil）には、密接な関係があります。どちらの場合も、実際に英語では、違いはほんの一文字です！　善の力の背後には善である神がおられます。そして、私たち自身の悪い欲望やこの世の中での誘惑の背後には、直接的、もしくは間接的に、人格化した悪、悪魔がいるのです。

この世界には悪が満ちているので、神よりも悪魔の存在の方が信じやすいと考える人がいます。「神に関する限り、私は信じていない･･･しかし悪魔に関しては、それはまったく別だ･･･悪魔は自身を宣伝し続けている･･･悪魔はたくさんのコマーシャルを打っている」と、映画「エクソシスト」の脚本と制作を手がけたウィリアム・ピーター・ブラッティは言っています（＊52)。

その一方で、多くの欧米人は、悪魔の存在を信じるほうが神を信じるよりも難しいと感じています。これは悪魔の間違ったイメージにもよると考えられます。白ひげを生やした老人で雲の上に座っているという神のイメージが滑稽で信じがたいのと同様に、ダンテの『神曲』の地獄篇で描かれているような、頭に角を生やして、地獄を歩き回る悪魔のイメージも受け入れられるものではありません。私たちは、宇宙からやって来たエイリアンではなく、今日、世界で活動している、現実に存在する悪の人格的な力に対処しているのです。

私たちが超越的存在である神を信じるなら、悪魔の存在を信じることは論理的であると言えるでしょう。

> 非常に超越的な悪の力を信じることは、私たちが超越的な善の力を信じることにおける困難に何ら加えることはない。実際にはむしろそれを軽減するものである。なぜなら、もしサタンが存在しないとするなら、神が自然界でなされていること、さらには人間の残虐さを許されるということから、神が残忍な方であるという結論を拒むことが難しくなる（＊53）。

聖書が示す世界観によると、この世界の悪の背後には悪魔が存在しています。ギリシヤ語の悪魔を意味する「ディアボロス」はヘブライ語の「サタン」という言葉に訳すことができます。聖書にはサタンの起源については詳しく記されていません。サタンが堕落した天使であったであろうことがほのめかされています（イザヤ書14:12～23）。旧約聖書では数個所に登場するだけです（ヨブ1:1、歴代誌上21:1）。サタンは単なる力ではなく、人格をもった存在です。

新約聖書では、サタンの行動がさらにはっきりと記されています。悪魔は神に対して反逆行為をし、そのような悪霊を数多く従えている、人格を持った霊的存在です。パウロは私たちに「悪魔の策略に対抗して立つ」こと、「わたしたちの戦いは、血肉を相手にするものではなく、支配と権威、･･･天にいる悪の諸霊を相手にするものなのです」（エフェソ6:11～12）と語っています。

パウロによれば、私たちは悪魔と悪霊たちを過小評価してはならないのです。それらは狡猾です（「悪魔の策略」11節)。それらは、力を持っています(「支配」、「権威」、「支配者」12節)。そして、それらは悪です(「悪の諸霊」12節)。ですから、この敵の力強い攻撃に遭っても、決して驚いてはならないのです。

なぜ悪魔の存在を信じなければならないのでしょうか?

なぜ私たちは悪魔の存在を信じるべきなのでしょうか? ある人は、「今日、悪魔の存在を信じることはできない」と言います。しかしながら、その存在を信じるべき大変よい理由があります。

まず、悪魔の存在は聖書が示すことだからです。聖書はもちろん、悪魔に焦点を当ててはいません。旧約聖書にはサタンはあまり登場しません。新約聖書においてはじめて、サタンに関する教えが展開されています。イエスはサタンの存在をはっきりと信じていましたし、サタンによる誘惑を受けられました。イエスは頻繁に悪霊を追い出し、人びとの人生を悪の力と罪の力から解放されました。そして、弟子たちに同じことをするための権威を授けられたのです。新約聖書には他にも悪魔の働きに関する記述があります(Iペトロ5:8〜11、エフェソ6:1〜12)。

第二に、歴史を通じてクリスチャンたちは、ほぼ変わることなく、悪魔の存在を信じてきました。初期の教会の神学者たち、宗教改革者たち、またウェスレーやウィットフィールドのような偉大な伝道者たち、そして神を信じる男性や女性のほとんどが、この世にはびこる、大変現実的な、悪の霊的な力の存在を認識していました。私たちが主に仕えるやいなや、私たちに対する悪魔の関心は高まります。「悪魔は罪を捨て去ろうとする魂だけを誘惑する･･･それ以外の人間は自分に属するのだから、誘惑する必要はない」（＊54）。

第三に、一般常識からも悪魔の存在は確認できるからです。人格的な悪魔の存在を無視するどんな神学も、凶悪な政権、制度的な拷問や暴力、大量虐殺、残忍な強姦、大規模な麻薬の密輸、テロリストによる破壊行為、性的、身体的な児童虐待、オカルト、悪魔崇拝などについての説明から逃れることはできません。これらの背後には何者かが存在するのでしょうか？　次のような短い歌があります。

ある人は、悪魔は過去の存在と言う
ある人は、悪魔はいなくなったと言う
しかし、あなたや私のような
単純な人間は
だれが悪いことを続けているのか
それを、本当に知りたいのだ

聖書、教会の伝統、常識、そのすべてが悪魔の存在を示唆しています。これは私たちが悪魔に取りつかれてしまうという意味ではありません。C.S.ルイスが次のように指摘しているとおりです。「悪霊に関して私たちが陥りやすい、二つの、等しく、かつ相反する間違いがある。一つは、悪霊の存在を信じないこと。もう一つは、悪霊の存在を信じて、過度にそれを意識し、不健全な興味を抱くことである。悪霊らは、この両方の間違いに喜び、物質主義者や魔術をする者を同じ喜びで迎える」（＊55）。

マイケル・グリーンも次のように言っています。

> 敵に自らのことを過小評価させることができる将軍のように、サタンは、･･･最高に効果的にまた容易に自分の仕事をすることができ、誰もサタンのことを真面目に取り上げていないと確信できる現在の状況を、喜んでいるに違いない。自分の存在を疑わせることができればできるほど、サタンにとって良いのだ。人びとが問題の実情を見えなくなるようにさせることができればできるほど、自分のもくろみを推し進めることができるのだ（＊56）。

多くの人は、過度の、不健康な興味を悪魔に対して抱くという、正反対の危険を冒しています。今日、精神主義、手相占い、こっくりさん、霊媒行為(死者との交信)、占星術、星占い、魔術、オカルトの力などに対する興味が新たに起きています。これらに関わることは、聖書ではっきりと禁止されています（申命記18:10、レビ記19:20以降、ガラテヤ5:19以降、黙示録21:8、22:15）。もし私たちがこの一つにでも関わったことがあったとしても、神のゆるしを得ることができます。私たちは神の前に悔い改め、これらに関わるもの、本やお守りやビデオや雑誌など、すべてを捨て去る必要があります(使徒19:19)。

クリスチャンもこれらのことに不健康な興味を抱いてしまうことがあります。最近クリスチャンになったばかりの人が、キリスト教の書籍と思われる2冊の本を見せてくれました。それには、敵である悪魔の働きが強調されていました。それは、ヨハネの黙示録に登場する獣の数字に関する推論を展開するために多くのページを割いていて、その数字をクレジットカードと結び付けようとするものでした！　その意図は良いものだったのでしょうが、しかし、敵の働きが強調されているのは不健康だ、と私には思われるのです。聖書はこのような強調はしていません。いつも神にスポットライトが当てられているのです。

悪魔の策略とは何でしょうか？

悪魔の究極的な目標は、すべての人間を滅ぼすことです（ヨハネ10:10）。悪魔は、私たちが滅びへの道に進むことを望んでいます。そのために、悪魔は、だれもイエス・キリストを信じることのないように、妨害しようとします。パウロは次のように言っています。「この世の神（悪魔）が、信じようとしないこの人びとの目をくらまし、神の似姿であるキリストの栄光に関する福音の光が見えないようにしたのです」（IIコリント4:4）。

悪魔の思惑どおりに生きているなら、私たちの目は閉ざされたままで、その策略にまったくと言ってよいほど気づかないでしょう。しかし、私たちが命に至る道を歩きはじめ、私たちの目が真理に開かれるとき、私たちは、自分が攻撃の中にあることに気づくのです。

攻撃の最初は、しばしば、疑わせることからはじまります。創世記の最初の数章にこの例を見ることができます。ヘビの姿をとった敵であるサタンは、エバに言います。「神は**本当に**言われたのか？」悪魔の最初の動きは、エバの心に疑いを持たせることでした。

これと同じ策略を、イエスが誘惑されたときにも見ることができます。「**もし**あなたが神の子なら･･･」（マタイ4:3、強調筆者）と悪魔はイエスに言いました。最初に、悪魔は疑いを抱かせ、そして誘惑するのです。悪魔の策略は変わっていません。今も、「これこれのことをすることは悪いことだと神は本当に言われたのですか？」とか「もしあなたがクリスチャンなら･･･」と私たちの心に疑いを抱かせます。悪魔は、神が語られたことに対して、また私たちの神との関係において、自信を失わせようとします。私たちは、自分の疑いの多くの源は何かを認識することが必要です。

疑いを起こさせることは、エデンの園のエバと、荒野でのイエスと、その両方への本格的な攻撃の前兆でした。創世記3章に、「誘惑する者」（マタイ4:2）と呼ばれている悪魔がしばしば行なうやり方が暴露されています。

創世記2章16～17節で、神はアダムとエバに実に寛大な許可（「園のすべての木から取って食べなさい」）と、一つの禁止事項(「ただし、善悪の知識の木からは、決して食べてはならない」）を与えられ、それから、彼らが従わなかったときに受ける罰について語られました(「食べると必ず死んでしまう」)。

サタンは、神が与えられた許可がいかに広範囲にわたるものであるかを故意に無視し、一つの禁止事項に目を向けさせるのです。そして、大げさにその禁止事項を扱います(創世記3:1)。その策略は変わっていません。悪魔は許可を今も無視します。悪魔は、神が、楽しむことができるようにとすべてのものを私たちに豊かに与えてくださっていること（Ｉテモテ6:17）を無視します。悪魔は、私たちが神との関係のうちに歩む大きな祝福を無視するのです。クリスチャンの結婚や、その家族の豊かさ、クリスチャンホームの安心感、クリスチャンとして享受することができる友情の深さなど、神が、ご自分を信じ、愛する者たちに与えておられる数え切れないほどの祝福を無視するのです。そうしたことについて、悪魔は私たちに伝えることはありません。その代わりに、クリスチャンがしてはいけないことの、実に些細な、思いもよらないようなリストに注目させるのです。そして何度も何度も、酔ってはいけない、汚い言葉を使ってはいけない、性的に乱れてはいけない、と私たちに思い起こさせるのです。神が、私たちに許可されていないことは比較的少ないし、禁止されていることには非常にはっきりとした理由があります。

最後に、悪魔は、神が下される罰を否定します。悪魔は言います。「決して死ぬことはない」(創世記3:4)。神に従わなくても、結局のところ、あなたには何の害もないと言うのです。神は私たちの楽しみを奪おうとし、神は私たちに最高の人生を望まず、神に従ったら人生を楽しむことができない、とそそのかすのです。しかし、後にアダムとエバが分かったように、事実はその反対です。神への不従順こそが、私たちに神が与えようとしておられる祝福を失う原因となるのです。

さらに創世記には続けて、神に従わないことの結果が記されています。まず、恥と当惑です。アダムとエバは、自分たちの間違いが露わにされたと感じ、何とか隠そうとしはじめます(7節)。私たちも、今までしてきたすべての行為がスクリーンに映し出され、それに続いて、今まで考えてきたことがリストに書き出されるようなら、その部屋からすぐに出て行きたくなるのではないでしょうか？　心の奥底では、私たちは、自分の犯した罪を恥じ、そのことに当惑しているものです。他の人に自分の本当の姿を知られたくありません。あるとき、アーサー・コナン・ドイルは12人の男性に、まことしやかな冗談を仕掛けました。彼らは全員がよく知られた人物で、尊敬され、当時の社会の柱とも言うべき人たちでした。

ドイルはそれぞれの人物に、次のような同じ伝言が記された電報を送りました。「スグ　ニゲロ　ミナ　バレタ」。なんと24時間以内に、彼ら全員が国外へ逃亡してしまったのです！　私たちすべてが･･･と言えるほど、だれもが、それぞれの人生において恥ずかしいと感じていることがあります。みんなに知られたくないことがあるのです。ですから、私たちは自分のまわりに壁を作り、だれにも知られることのないようにしているのです。

次に、アダムとエバの神との友情関係が壊れてしまいました。神が近づいて来る音が聞こえると、彼らは隠れました(8節)。今日も多くの人が神から身を避けようとしています。神の存在の可能性と、まともに直面したくないのです。アダムのように、彼らは神を恐れているのです（10節)。ある人たちは教会に行くことや、クリスチャンと接することを本当に怖がっています。教会員のある夫妻が、オーストラリアから来た、体重百何十キロもの体格のラグビー選手を教会に誘ったときのことを話してくれました。彼は車に乗り込むまではよかったのですが、車の中でブルブルと震え始めました。そして、彼は言いました。「私には行くことができない。教会の中に入るのがとても怖いんだ」。彼は神の顔をまともに見ることができなかったのです。アダムとエバがそうであったように、彼と神との間が分離されていたからです。神はすぐに、アダムとエバを神との関係へと回復させようとされました。「どこにいるのか」（9節）。神は彼らに呼びかけられたのです。そして、今も呼び続けておられます。

さらには、アダムとエバとの間も分離してしまいます。アダムはエバのせいにします。エバは悪魔のせいにしたのです。しかし、彼らも、そして、私たちも、自分の罪の責任はとらなければなりません。私たちは神のせいにすることはもちろん、他人のせいにも、悪魔のせいにすることすらできないのです（ヤコブ1:13〜15）。今日、私たちの住むこの社会でも同じことが起こっています。人びとが神から離れてしまうと、お互いの間で争いはじめます。離婚、家庭崩壊、職場での壊れた人間関係、内紛や国家間での戦争など、どこを見ても、壊れた関係が存在するのです。

最後に、悪魔によってだまされたアダムとエバは、神の裁きを受けます（14節以降）。悪魔は最初からその道が滅びへと向かうことを知った上で、アダムとエバをだまし、神から離れていく道へと彼らを導いていったのです。

すでに見てきたように、悪魔は欺く者、破壊者であり、誘惑する者であり、疑いを抱かせる者であり、また、告発する者でもあります。ヘブライ語のサタンをさす言葉は「告発する者」、「非難する者」を意味します。悪魔は人びとの前で神を非難します。神はすべてのことで非難されます。悪魔は、神は信頼するに値しないと告発するのです。次に、悪魔は神の前で、クリスチャンたちを告発し（黙示録12:10）、イエスの死の力を否定します。悪魔は私たちを罪びとだと責め、罪責感を抱かせようとしますが、それは何か特定の罪ではなく、一般的であいまいな罪の意識で苦しめるのです。それとは対照的に、聖霊が罪を示されるときはこれとは逆で、私たちが離れることができるようにと、その罪を明らかにしてくださいます。

誘惑と罪とは同じものではありません。時として、悪魔は、私たちの思いの中に間違っていると分かっているような考えを置きます。そのとき、私たちは、それを受け入れるか拒絶するか選択することができるのです。もし受け入れたなら、私たちは罪を犯そうとしていると言えるでしょう。もし拒絶したなら、イエスがされたように私たちもしているのです。イエスは「罪を犯されなかったが、あらゆる点において、私たちと同様に試練に遭われ」（ヘブライ4:15）ました。悪魔が邪悪な考えを思いの中に置こうとしたとき、イエスはそれを拒絶されたのです。しかし、しばしば私たちがどちらを選択するかを決める前に、悪魔は私たちを非難します。ほんの瞬間に、「自分をよく見てみろ！　それでもクリスチャンなのか？ 今何を考えていたんだ？　おまえがクリスチャンであるはずがない。何て恐ろしいことを考えているんだ！」と責め立てます。私たちが同意して、「もうだめだ！　私がクリスチャンであるはずがない」とか「ああ、どうしよう！　やってしまった。でもどうせなら、もう少しぐらいやったってかまわないだろう！」と、私たちが言うことを悪魔は願っているのです。そのようにして私たちは堕落していくのです。それがまさに悪魔の企てであり、そのような告発や非難が悪魔の策略なのです。もし、私たちに罪責感を抱かせることができたら、「するかしないかは、たいした違いはない。どうせもう失敗してしまっているのだから」と私たちが思ってしまうことを悪魔は知っています。そして、私たちは間違いを犯し、誘惑は罪となるのです。

悪魔は、失敗が私たちの人生の中でパターン化することを望んでいます。悪魔は、私たちが罪の深みにはまればはまるほど、罪が私たちの人生をコントロールすることも知っています。最初に打った麻薬には、私たちを虜にする力はないかもしれません。しかし、何日も、何ヶ月も、何年も打ち続けるなら、麻薬は私たちを捕らえ、依存症にしてしまいます。私たちを虜にしてしまうのです。悪いと分かっていることをし続けるなら、私たちはその悪いことの虜になってしまいます。習慣化し、サタンが望んでいる、滅びへの道を進むことになるのです（マタイ7:13）。

クリスチャンの置かれた立場とは？

クリスチャンである私たちを、神は「闇の力から救い出して、その愛する御子の支配下に移してくださいました」（コロサイ1:13）。パウロによると、クリスチャンになる前の私たちは、暗闇の支配下に置かれていたのです。悪魔が私たちを支配し、私たちは罪、奴隷、死、滅びに定められていました。暗闇の支配の中にいるとは、そういうことなのです。

パウロはさらに語っています。私たちは暗闇の支配から光の王国へと移されたと。キリストを受け入れた瞬間に、私たちは暗闇から光に移されるのです。そして、光の王国を支配する王は、イエスです。そこにはゆるし、自由、命、救いがあります。私たちは一度移されると、イエス・キリストとその王国に属するものとなるのです。

1992年、イタリアのサッカークラブのラッツィオは550万ポンドを支払って、ポール・ガスコイン選手をトッテナム・ホットスパーからラッツィオに移籍させました。ラッツィオでプレイしているガッツァ（ガスコイン選手の愛称）に、前に所属していたトッテナム・ホットスパーの監督テリー・ベナブルズからある日電話があり、「今朝どうして練習に来なかったのだ？」と言われたと想像してみてください。ガッツァはこう答えるでしょう。

「もうあなたのチームの選手ではないのです。移籍したのです。今、別のチームでプレイしているのです」(たぶんこんな感じで彼は答えるのではないかと思うのですが！)。

私たちの場合は、もっとすばらしい方法で、悪魔が支配する暗闇の国から、イエスが支配する神の国へと移されたのです。悪魔が、その働きに加担しろと言ったときには、「私はもはやお前の支配下にはいない」と答えればよいのです。

サタンはすでに敗北しています（ルカ10:17～20）。十字架の上でイエスは「もろもろの支配と権威の武装を解除し、キリストの勝利の列に従えて、公然とさらしものになさいました」(コロサイ2:15)。十字架の上でサタンとその手先の悪霊どもは打ち負かされたのです。だからイエスの御名の前に、悪霊どもは恐れおののくのです(使徒16:18)。自分たちが敗北していることを知っているからです。

イエスは私たちを罪責感から解放してくださいました。私たちは責められる必要はないのです。イエスは、罪の虜となっていた私たちを自由にしてくださいました。イエスは、虜にするものの力を打ち砕き、私たちを自由に解放してくださったのです。イエスは、死に対して勝利されたとき、死の恐怖を打ち砕いてくださいました。そのことによって、イエスは、すべての恐れから私たちを解放してくださいました。罪責感、罪の束縛、恐れのすべては、暗闇の王国のものです。私たちはイエスによって新しい王国に移されています。

イエスの十字架は、悪魔とその手先どもに対して偉大な勝利をもたらしました。私たちは今、掃討作戦の最中にあります。私たちの敵は、まだ完全に滅ぼされていません。まだ人を傷つけることはできますが、悪魔は武装解除され、打ち負かされ、その士気も低下していることは事実です。これが私たちの置かれた立場です。イエスの十字架の勝利がもたらす、私たちが置かれている立場の持つ力を認識することは、大変重要です。

悪魔からどのように身を守ればよいのでしょうか？

私たちの戦いは終わっていないし、サタンも完全に滅ぼされたわけではないので、私たちの防御がしっかりしていることが必要です。パウロは私たちに「悪魔の策略に対抗して立つことができるように、神の武具を身に着けなさい」（エフェソ6:11）と語っています。そして、私たちが必要とする六つの武具について述べています。時折、「クリスチャン生活の秘訣は･･･」などということを聞きますが、秘訣はありません。私たちには**すべての**武具が必要です。

まず、私たちは「真理の帯」（14節）が必要です。この「真理の帯」とは、基本的なキリスト教の教理と真理の土台を意味すると思われます。すべてのキリスト教の真理（もしくはできるだけ）をしっかりと自分のものにするという意味です。私たちは、聖書を読み、説教などを聞き、信仰書で学び、テープを聴くことによって、それを習得していくのです。これによって私たちは、何が真理で、何がサタンの嘘かを見分けることができるのです。なぜなら、サタンは、「偽り者であり、その父」（ヨハネ8:44）だからです。

次に、正義の胸当て(14節)が必要です。この正義とは、イエスが私たちのために十字架の上で成し遂げてくださったことを通して、神からもたらされる義のことです。この義によって、私たちは神との関係に生きることができ、正しい生活を送ることができるのです。私たちは悪魔に対抗することが必要です。使徒ヤコブは次のように言っています。「悪魔に反抗しなさい。そうすれば、悪魔はあなたがたから逃げて行きます。神に近づきなさい。そうすれば、神は近づいてくださいます」(ヤコブ4:7〜8)。私たちは時としてつまずくことがあるかもしれません。つまずいたときは、すぐに起き上がることが大切です。すぐに起き上がるためには、私たちが、自分の犯した過ちをどれほど悪いと思っているかを、できるだけ具体的に神の前に告白することです(Ｉヨハネ1:9)。神は私たちとの関係を回復してくださると約束しておられます。

さらに、平和の福音を告げる準備を履物とします(15節)。私はこれを、イエス・キリストの福音を語る用意があることだと理解しています。ジョン・ウィンバーがよく言っていたように、「じっと座ったままで、良い人であるのは難しい」のです。もし私たちがいつも、良い知らせである福音を伝える機会を探し求めているなら、敵に対して効果的に防御していることになります。一度、家庭や職場で自分がクリスチャンであることをはっきりと伝えると、私たちの敵に対する防御は強まります。これは簡単なことではないでしょう。なぜなら、信仰を持つ者にふさわしい生活をしているかどうか、私たちは周囲の人たちに見られているからです。しかし、そうすることは大変な励ましとなります。

四番目の武具は信仰の盾です(16節)。この盾で私たちは「悪い者の放つ火の矢をことごとく消すことができるのです」。信仰とは、多くの人の人生を台無しにする皮肉な態度や懐疑主義の正反対のものです。信仰の一つの側面は、次のように定義されています。「神の約束をしっかり握って、それを何としても信じること」。悪魔は疑いの矢を放って害を加えようとしますが、私たちは、信仰の盾によって対抗するのです。

五番目に、パウロは、救いの兜をかぶりなさいと語っています（17節）。ケンブリッジ大学の神学教授であるウェスコット主教が指摘しているように、救いには三つの時制があります。私たちは罪の罰から救われました。また、私たちは罪の力から救われています。さらに、罪の存在そのものからも、私たちは将来救われるのです。これらの救いについての考え方をしっかりと理解することが必要です。敵が私たちに疑いを抱かせたり、非難するときに対抗するためです。

最後に、「霊の剣」、つまり神の言葉をとることが必要です（17節）。パウロが考えているのは、おそらく聖書であると思われます。イエスはサタンの攻撃にあったとき、聖書の御言葉を用いられました。誘惑の度に、イエスは御言葉をもって答えられました。ついにサタンは退散せざるをえませんでした。敵を退け、神の約束を思い起こすのに役立つ聖書の御言葉を学ぶのは、大変価値あることです。

どのように攻撃すれば よいのでしょうか？

すでに学んできたように、サタンとその手先である悪霊たちは、十字架の上で打ち負かされました。私たちはイエスが再び来られるときまで、掃討作戦に参加しているのです。クリスチャンである私たちは、悪魔を恐れる必要はありません。悪魔こそが、クリスチャンの活動に非常に怯えているのです。

私たちは祈るために召されています。そして、私たちは、霊的な戦いの中に置かれています。とは言っても「わたしたちの戦いの武器は肉のものではなく、神に由来する力であって要塞をも破壊す」（Ⅱコリント10:4）るものです。イエスは祈りを最優先にしておられました。私たちにとってもそうあるべきです。賛美歌の歌詞にあるように、「サタンは最も弱いクリスチャンがひざまずいて祈っているのを見て震え上がる」のです。

私たちはまた、実際に行動するようにと召されています。イエスの生涯においても、祈りと行動は同時になされていました。イエスは神の国を宣べ伝え、病人をいやし、悪霊を追い出しました。そして、イエスは弟子たちに同じことをするように命じられました。後で、このことについて詳しく見ていきたいと思います。

神の偉大さについて、また、それに較べて敵にはいかに力がないかを強調することは重要です。私たちは神と悪魔という、二つの等しい対抗する力の存在を信じているのではありません。それは聖書が描いているものとは違います。神はこの宇宙の創造主です。サタンは神の被造物の一部、堕落した部分に過ぎません。悪魔は小さな存在なのです。さらに、すでに敗北した敵であり、イエスの再臨のときには全滅する定めにあるのです（黙示録12:12）。

C.S.ルイスの『壮大な分離』（“The Great Divorce”）の中に、サタンと悪霊たちが支配している地獄と、一人の男が天国に着いて、彼の「先生」に天国を案内してもらっている様子がすばらしく描かれています。この男は両手両膝をついて、葉っぱの先の指し棒を使って、ついに地面に地獄全体が隠されている小さな割れ目を見つけ出します。

> 「永遠の空虚の町である地獄がこんなに小さな割れ目の中にあるというのですか？」
> 「そのとおりだ。地獄全体でも地上の世界の小石より、もっと小さい。しかし、この世界、つまり、本当の世界では、地獄は原子一つよりも小さいのだ。あそこの蝶を見てみなさい。あの蝶が地獄を飲み込んでも、何の害も受けないし、蝶にとって何の味もしない」。
> 「しかし、先生、そこにいると地獄は十分大きく感じられるのですが？」
> 「たとえ地獄に含まれるすべての孤独、怒り、憎しみ、ねたみや痛みを一つにして量りにかけても、天国で経験する最も小さな喜びの瞬間と比べるなら、何の重さもないし、その重みを量ることすらできないだろう。善が善であることの真実に比べるなら、悪は悪であることにすら成功することができない。地獄のすべての惨めさをあそこの小さな黄色い鳥の良心に注ぎ込んでも、まるで太平洋が一つの分子であるかのような大きさの大海原に落ちる一滴のインクのように、跡形もなく飲み込まれてしまうだろう」（＊57）。

12

イエスを伝えるとは？

なぜ私たちは、自分のキリスト教の信仰について話さなければならないのでしょうか？　信仰はプライベートなことではないのでしょうか？　理想的なクリスチャンとは、淡々とクリスチャンの生き方をしている人のことを言うのではないでしょうか？　時々、このように言う人がいます。「私は、一人のクリスチャン（大体、母親やおばさんですが）を知っています。とても信仰心に篤いのですが、自分の信仰については話したりしません。そのようなあり方こそが究極のキリスト教の信仰ではないのですか？」

こうした質問への短い答えは、そのような信仰の持ち主たちにも、誰かがキリスト教の信仰を伝えた、ということです。もう少し長めの答えは、イエスについて伝えるのには、いくつかの正当な理由がある、というものです。第一に、イエスを伝えることは、イエスご自身が命じておられるからです。カトリック教会の司祭で、1990年代を「福音宣教の十年」と呼ぶことを教皇（ローマ法王）に提案したトム・フォレスト神父は、聖書の中に「行きなさい」という言葉が1514回登場し（英語の改訂標準訳では）、その内の233回は新約聖書に、54回はマタイによる福音書にあると指摘しています。イエスは私たちに「行きなさい」と言われました。

「失われた羊のところに行きなさい・・・」
「行って、ヨハネに伝えなさい・・・」
「行って、出会った人をすべて招待しなさい・・・」
「行って、弟子を作りなさい・・・」

マタイによる福音書にはイエスの最後の言葉が記録されています。

> イエスは近寄って来て言われた。「わたしは天と地の一切の権能を授かっている。だから、あなたがたは行って、すべての民をわたしの弟子にしなさい。彼らに父と子と聖霊の名によって洗礼を授け、あなたがたに命じておいたことをすべて守るように教えなさい。わたしは世の終わりまで、いつもあなたがたと共にいる」（マタイ28:18～20）。

次に、私たちが人びとに伝えるのは、イエス・キリストのよい知らせを何よりも必要としている人がいるからです。私たちがサハラ砂漠にいて、オアシスを見つけたとしましょう。そのオアシスで渇きを潤すことができるのに、周りの渇いている人たちにその場所を教えないのは、大変自己中心的だと言えるでしょう。イエスこそが私たち人間の心の渇きをいやすことができる唯一の方です。しばしば、驚くような人物たちから、この渇きについて知らされることがあります。歌手のシネッド・オコナーは、あるインタビューで次のように語っています。「人類全体が空しさを感じている。私たちの霊的な部分が消し去られていて、自分自身をどのように表現すればよいのか分からないのだ。その結果、アルコールや麻薬、セックスやお金でその空しさを埋めようとしている。人びとは真理を叫び求めているのだ」。

三番目に、私たちが他の人にイエスについて話すのは、自分自身がよい知らせを見出したので、この知らせを何としても伝えたいと願うからです。よい知らせを受けとったら、私たちはだれかに伝えたくなるものです。私たち夫婦に最初の子どもが生まれたとき、妻のピッパは子どもの誕生を知らせるために10名ほどのリストをくれました。最初に電話をしたのはピッパの母親でした。私は、男の子が生まれたこと、母子ともに健康であることを伝えました。次に私の母に電話をしましたが、話し中でした。リストの三番目はピッパの姉でした。彼女に電話をしたときには、すでにピッパの母親から知らせを受けていました。リストの他の人にもニュースはすでに伝わっていたのです。私の母が話し中だったのは、ピッパの母親がその知らせを伝える電話をしていたからです。よい知らせはあっという間に広がるものです。私はピッパの母親に伝えてくださいとお願いする必要はありませんでした。彼女は黙っていられなかったのです。私たちも、よい知らせである福音がどんなにすばらしいものであるかを知ったら、他の人に黙っていることができなくなるのです。

では、人びとにどのように伝えればよいのでしょうか？　伝えるにあたって、対照的な二つの危険性があると思われます。一つは、無神経さに陥る危険性です。私がクリスチャンになったばかりのとき、この危険性に陥ってしまいました。クリスチャンになったことが本当に嬉しくて、すべての人に自分に続いて欲しいと思いました。クリスチャンになって数日後、私はあるパーティーに行きましたが、そこで全員に伝えようと硬く決心していました。友人の一人がダンスをしていたので、まず彼女に、彼女自身の必要を気づかせようと思いました。彼女のところに行って、「君、ひどい顔しているね。君にはイエスが必要だ」と告げました。そのとき彼女は、私が気が変になってしまったと思ったそうです。よい知らせを伝えるには、最も効果的な方法でないのは明らかです！（しかし、彼女は後に、私とは関係なしにクリスチャンになりました。そして、今、彼女は私の妻です！）

次のパーティーには、私は十分準備して出かけました。数冊の小冊子やキリスト教に関する書籍と新約聖書を揃えました。それらを服についているすべてのポケットに入れて出かけたのです。どうにかダンスをしてくれる女の子を見つけました。たくさんの本がポケットに入っていたためダンスを続けるのは難しかったので、座ることにしましたが、私はすぐに話題をキリスト教に向けました。彼女のすべての質問に対して、ポケットからその質問にぴったりの本を出すことができたのです。彼女は実にたくさんの本を持って帰っていきました。翌日、彼女はフランスに行ったのですが、その道中、私が渡した本を船の中で読んでいたそうです。そのとき突然彼女は、イエスが彼女のためにしてくださったことの真理を理解することができ、隣の席の人に、「今、私はクリスチャンになりました！」と伝えたそうです。彼女は21歳のときに事故で亡くなりました。私がきちんとした方法で伝えたわけではないのに、亡くなる前に、彼女がクリスチャンになったのは幸いなことでした。

陶器の専門店に突進する闘牛のように伝えていたら、私たち自身が傷ついてしまうのは時間の問題です。もし他の人に配慮しながら伝えたとしても、傷つくかもしれません。傷つくと私たちは引っ込んでしまいます。これは私の経験からも言えることです。クリスチャンになって数年後、私は無神経さという危険性から、それとは対

照的な、恐れという危険性に陥ってしまいました。それは皮肉にも、神学大学で学んでいるときでしたが、クリスチャンでない人にイエスについて話すことさえも恐れた時期があったのです。あるとき、人びとによい知らせを伝えるために、大学からグループでリバプール郊外の教区に伝道に行きました。毎晩、その教区の違った人たちと食事をすることになっていました。ある晩、友人のルパートと一緒に、あまり教会と関わりを持っていない夫婦（もっと正確には、妻の方は少し関わりを持っていたのですが、夫は教会にはまったく行っていませんでした）と食事をするために出かけました。食事の途中で、ご主人は、ここに何をしに来たのかと私に尋ねました。私は言葉を詰まらせ、もじもじ、うじうじと何とか話をはぐらかそうとしましたが、彼は何度もその質問を繰り返したのです。ついに見かねたルパートは、はっきりと答えました。「私たちは、イエスを伝えるために来たのです」と。私は本当に恥ずかしくて、穴があったら入りたいと思いました！　私は凍りついてしまっている自分、イエスの名を口にすることすらも恐れている自分に

気づいたのです。
　これら無神経さと恐れという危険性を避けるために、イエスを伝えるということは、私たちと神との関係から生まれてくるものであると理解することが必要です。神との関係において、それは自然なことなのです。もし私たちが神とともに歩むなら、その関係について人びとに伝えることは、聖霊の協力のもとにごく自然なことなのです。
　この伝えることについて考えるときに役立つ、五つの言葉があります。それは、英語ではすべて「P」の頭文字ではじまる言葉ですが、私たちの存在（presence）、説得（persuasion）、宣言（proclamation）、力（power）、祈り（prayer）です。

私たちの存在

　イエスは弟子たちに言われました。

> あなたがたは地の塩である。だが、塩に塩気がなくなれば、その塩は何によって塩味が付けられよう。もはや、何の役にも立たず、外に投げ捨てられ、人々に踏みつけられるだけである。あなたがたは世の光である。山の上にある町は、隠れることができない。また、ともし火をともして升の下に置く者はいない。燭台の上に置く。そうすれば、家の中のものすべてを照らすのである。そのように、あなたがたの光を人々の前に輝かせなさい。人々が、あなたがたの立派な行いを見て、あなたがたの天の父をあがめるようになるためである（マタイ5:13～16）。

イエスは私たちを、広い範囲で影響（「**地**の塩」「**世**の光」）を及ぼすようにと召されました。この影響力を発揮するためには、世の中（職場、近所、家庭、友人の中）にいることが必要です。ジョン・ストットが言うところの「優雅でこじんまりした教会という塩の貯蔵庫」に引きこもっていてはならないのです。と同時に、私たちは異なったものとして生きるようにと召されています。私たちが塩や光として影響を及ぼすことができるように、この世とはまったく異なった生き方をするようにと召されているのです。

第一に私たちは、塩として召されています。冷蔵庫が発明される以前、何世紀もの間、塩は肉の保存と防腐のために使われてきました。私たちはクリスチャンとして、社会の腐敗を防ぐために召されているのです。道徳的な基準や問題について発言するときに、私たちは言葉によって周りの社会に神の基準をもたらす影響力となるのです。よりよい社会を作り出すために、正義や個人の自由や尊厳のために働いたり、差別をなくすために援助したり、一市民として行動することによって私たちは塩となるのです。また、社会の犠牲になっている人を助ける活動を通しても、塩の役目を果たすことができます。その目的のために、あるクリスチャンたちは地方や国の政治に関わるように召されます。他のクリスチャンたちはマザー・テレサやジャッキー・ポリンジャーのように「**貧しい人たちに**仕える」（ジャッキー・ポリンジャーの表現ですが）ように召されているのです。私たちすべてが、その大小にかかわらず、役割を果たすよう召されているのです。

第二に、イエスは私たちを光として召しておられます。キリストの光が私たちを通して輝くためです。これはイエスが「あなたがたの立派な行い」と言われた、私たちのクリスチャンとしての行動や言葉のすべてによって実現します。「自分を愛するように隣人を愛する」という言葉に要約できることの実践なのです。

クリスチャンとして生きることは、私たちの身近にいる人たちに福音を伝える最も的確な方法です。これは特に私たちの家族や職場の同僚やルームメイトに言えることです。もしその人たちが、私たちがクリスチャンであることを知っているなら、そのことだけで彼らはプレッシャーを感じているものです。ですから信仰の話ばかりをすることは逆効果になりかねません。人びとはむしろ純粋な愛や配慮に心を動かされるのです。職場の人たちは、私たちクリスチャンの一貫性、正直さ、真実味、勤勉さ、信頼感、陰口などを言わない姿や、他の人を励まそうとする態度に気づくのです。家庭では、親や家族、そしてルームメイトたちは、私たちの言葉よりも、人に仕える姿勢や忍耐力や親切心などから、大きな影響を受けるのです。

このことは、配偶者がクリスチャンでない場合には特に大切です。ペトロは「夫が御言葉を信じない人であっても、妻の無言の行いによって信仰に導かれるようになるためです。神を畏れるあなたがたの純真な生活を見るからです」（Ｉペトロ3:1～2、強調筆者）とクリスチャンの妻たちを励ましています。

ブルースとジェラルディン・ストリーザーは、1973年の12月に結婚しました。1981年にジェラルディンがキリストを信じたとき、ブルースには信仰に対する興味はまったくありませんでした。彼は多忙な弁護士で、ほとんどの週末、ゴルフをして過ごしていました。ブルースは教会には決して行きませんでした。

10年間、ジェラルディンはブルースのために祈り、彼の前でクリスチャンとして生きることを実践しました。彼女は夫に対して信仰を強制したり、信仰に関する議論はしなかったのです。数年の間にブルースは、彼女の類まれなる親切や配慮、特に彼の母親が癌になり、それからくる他の病気によって気難しくなったときの妻の態度に、心を動かされるようになりました。ついに、1991年のこと、ジェラルディンはブルースをアルファ・セレブレーション夕食会に招待しました。彼はその夕食会に参加し、その後に行われたアルファ・コースに参加することを決心したのです。

ジェラルディンは、私に送ってくれた手紙で次のように語っています。「私は夕食会の帰り、『私はブルースを何とかアルファに連れて行ったのですから、後はあなたの出番です！』と家までずっと泣きながら神に祈りました。コースの最初の晩アルファから帰ってきたブルースに、私はただ、楽しかったかどうかだけしか尋ねませんでした」。

コースの第７週目に、ブルースはキリストに人生を献げ、コースが終わるころには、私が今までに出会ったことのないような最も熱心なクリスチャンに彼は変えられていたのです。私はジェラルディンに、今彼と一緒に生活するのはどんな感じか聞いてみました。彼女は「ちょっと、ビリー･グラハムと暮らしているようよ！」と答えました。

彼女は手紙で続けています。「彼はだれにでもイエスの話をするのです。自分たちの結婚に影響を与えたくないので、私は、ブルースがいるときには友人たちの前でキリスト教の話をしなかったのに、ブルースはどのパーティでも人びとに神について話をするのです。私はとり残され、テーブルの反対側で彼の話に耳を傾けています。私の祈りのすべてが答えられたと感じています。昨年の3月、私は『ブルースがクリスチャンにならないことにもう我慢できません』と神に伝えました。ブルースがクリスチャンになりさえすれば、家やお金はどうでもよいと、神に言ったのです。人生がまったく変わりました。神に心から感謝しています」。

しかし、私たちのライフスタイルだけで「世の光」になるということではありません。言葉も必要なのです。家族やルームメイトや同僚たちが、次第に信仰について質問してくるでしょう。話し始めるのは、多くの場合、そのときまで待った方がよいのです。質問されたら、いつでも答えることができるように準備しておくことが必要です。ペトロは次のように記しています。「あなたがたの抱いている希望について説明を要求する人には、いつでも弁明できるように備えていなさい。それも、穏やかに、敬意をもって、正しい良心で、弁明するようにしなさい」（Ｉペトロ3:15～16）。

では、機会が与えられた場合、どのように話せばよいのでしょうか？

説得

今日、多くの人がキリスト教の信仰に対して反対していますし、でなければ、少なくともキリストを信じる前に答えてもらいたい疑問を持っているものです。それらの人たちは真理について納得する必要があります。パウロはいつも喜んで人びとを説得しようとしていました。それは人びとへの彼の愛からのものであり、そうすることが彼の義務だと考えていたのです。「主に対する畏れを知っているわたしたちは、人びとの**説得**に努めます」（Ⅱコリント5:11、強調筆者）。

パウロはテサロニケに行ったとき、ユダヤ人たちと「論じ合い」、「説明し」、キリストが苦しみを受け、死者の中から復活されたことを「論証し」ました。その結果、「彼らのうちのある者は信じ」（使徒17:4）ました。またコリントでは、週日にはテント作りをして働きながら、「パウロは安息日ごとに会堂で論じ、ユダヤ人やギリシア人の説得に努めていた」（使徒18:4）のです。

キリスト教の信仰についての会話をしていると、様々な反論が出てくるものです。私たちはそれらに答える準備をしておくことが必要です。あるとき、イエスは一人の女性と、彼女の人生がどんなに混乱しているかを話しておられました（ヨハネ4章）。そして、イエスは彼女に永遠の命を与えようとされました。そのとき、この女性はどこで礼拝すべきかという神学的な質問をしてきたのです。イエスはその質問に答えられましたが、すぐに会話を本質的な論点に戻されました。これは私たちにとって学ぶべきよいお手本です。

普通、人びとが神学的な質問や反論を口に出すとき、真剣にその答えを求めているものです。私に最もよく聞かれる質問は、「なぜ神は苦しみがあることを許すのか？」とか「他の宗教はどうなのか？」などです。しかし、他にも実に様々な質問があります。これらが真剣なものであるときには、真剣に答えることが求められます。時々、これらの質問が本当の問題から目をそらせるための煙幕のように使われることがあります。このような人の場合は、神学的に反対しているからクリスチャンにならないのではなく、道徳的な問題がその理由なのです。彼らはキリスト教に伴って生じるライフスタイルの変化を恐れて、キリストに自分の人生をゆだねたくないのです。

この章のはじめに述べた宣教旅行の中で、ルパートと私はある集会でキリスト教の信仰についての話をしました。私たちの話の後、ある大学の講師をしている人がいくつもの質問や反論をしたのです。私はそれらにどこから答えてよいか分かりませんでした。しかし、ルパートは単純に、「もし私たちがあなたが満足いくようにすべての質問にお答えしたら、クリスチャンになられますか？」と尋ねました。彼はとても正直に「いいえ」と答えました。ですから、それがあくまでも純粋に学問的な問いであったので、これに答えることはあまり意味がなかったようです。しかし、質問が真剣なものであるなら、論じ合い、説明し、論証することは人びとにイエスを伝えるために重要となります。

宣言

人びとに伝えることの中心は、イエス·キリストのよい知らせである福音の宣言です。それは、信じていない人にキリスト教の信仰を知らせ、伝え、宣言することです。これには多くの方法があります。最も効果的な方法の一つは、福音を説明する人のところへ連れて行くことです。これは特にクリスチャンになったばかりのときに、自分で福音を説明しようとするより、効果的であると言えます。

キリストを信じたばかりの人は、教会とはあまり関わりを持っていない友人をたくさん持っています。このことは、イエスが言われたように「来なさい。そうすれば分かる」（ヨハネ1:39）とその友人たちに言う、すばらしい機会を提供します。最近のことですが、一人の20代の女性がクリスチャンになり、ロンドンの教会に通うようになりました。しかし週末は、彼女はウィルトシャーに住む両親と一緒に過ごしていたので、教会の礼拝に間にあうように、日曜日の午後３時には家を出るようになったのです。ある日曜の夕方、ハマースミスの立体交差の高架道路で渋滞に巻き込まれ、夕方の礼拝に出席することができませんでした。彼女はそのことで動揺して、泣き出してしまいました。彼女は寄り道をして、まだ彼女がクリスチャンになったことを知らない友人たちに会いに行きました。友人たちがいったい何事かと尋ねると、彼女は泣きながら答えたのです。「教会に行けなかったの」。それを聞いた彼らはすっかり当惑してしまいました。次の日曜日、彼女がそんなに行きたがっていた教会に何があるのか知るために、友人たちは全員そろって教会にやって来ました。その後すぐに、友人たちの一人がキリストを信じるようになったのです。

だれかがイエス・キリストに出会うことができるようにすることほど、偉大な特権、大きな喜びはありません。カンタベリー大主教だったウィリアム・テンプルは、ヨハネの福音書の註解書を執筆していたとき、神の前にひざまずき、心に語りかけてくださいと祈りながら書いていました。「そして、(アンデレは)シモンをイエスのところに連れていった」(ヨハネ1:42) という個所で、彼は短いのですが、重要な一文を記しています。「これは私たちが他人に対してすることができる最も偉大な奉仕である」。

アンデレに関しては、彼がいつも人びとをイエスのところへと導くこと以外、何も知ることはできません(ヨハネ6:8、12:12)。しかし、彼に連れて来られた兄弟のシモン・ペトロは、後にキリスト教の歴史の中で最も影響を与えた人物の一人となりました。私たちは皆、シモン・ペトロのようになることはできないかもしれません。しかし、人びとをイエスへと導くアンデレのような人になることはできます。

アルバート・マクマキンはキリストを信じるようになったばかりの、24歳の農夫でした。彼は、自分のトラックに人をいっぱい乗せ、その人たちがイエスのことを聞くことができる集会へと連れて行くほど、熱意にあふれていました。彼がどうしても集会に連れて行きたかったハンサムな一人の農家の息子がいたのですが、彼を説得するのは困難でした。彼はいつも次々に女の子との恋に夢中で、しかも、キリスト教には少しも興味を持っていないようでした。しかし、ついにマクマキンは、この青年にトラックの運転を頼み、一緒に行くように説得することができたのです。会場に到着すると、このアルバートのゲストである青年は集会に出ることにしました。そこでまるで「魔法にかけられた」かのように、今まで経験したことのない考えを持つようになったのです。そして、何度も何度も集会に参加し、ある晩、イエス・キリストに自分の人生を献げる決心をしたのです。トラックの運転手として集会に参加したこの青年は、ビリー・グラハムでした。1934年のことでした。ビリー・グラハムはその後、何千人もの人をイエス・キリストへと導きました。私たち皆がビリー・グラハムのようになれるわけではありません。しかし、アルバート・マクマキンのようにはなれます。私たちは友人をイエスへと導くことはできるのです。

時には、私たち自身が福音を伝える機会を与えられるかもしれません。その際の一つのよい方法は、自分自身に起きた出来事を話すことです。その聖書の中の例として、使徒言行録26:9～23にはパウロの証言が記されています。パウロの証言は三つの部分に分かれています。彼が以前はどのようであったか（9～11節）、イエスとの出会いにどのような意味があったか（12～15節）、その日以来、その出会いはどのような意味を持ってきたか（19～23節）です。クリスチャンになるためにはどのようにすればよいかを説明するときに、枠組みがあると助けになります。福音を伝えるにはいくつもの違った方法があります。『なぜ、イエス様？』という小冊子の中で、私が使っている方法を紹介しています。伝えた後は祈りに導きます。この祈りは本書４章の最後に載せています。

私たちの教会の一人の男性が、彼がどのようにキリストを信じるようになったかを最近私に話してくれました。仕事で困難な状況の中、彼はアメリカへ出張しなければなりませんでした。タクシーで空港へと向かうときも、彼の気分は晴れていませんでした。タクシーのダッシュボードの上に運転手の子どもたちの写真が飾られていました。彼には運転手の顔は見えませんでしたが、家族のことについて尋ねてみました。その運転手から大きな愛が伝わってくるのを感じました。会話が進むにつれて、運転手は彼に言ったのです。「どうも幸せではないようですね。でも、キリストを信じるなら、すべては変わりますよ」。

「その運転手は権威をもって語っていました。私の方が権威があると思っていたのですが･･･。何しろ、お金を払うのは私なのですから！」とそのビジネスマンは私に言ったのです。ついに運転手は彼に言いました。「キリストを信じて、あなたの問題を片づけるときだと思いませんか？」　車は空港に着きました。運転手ははじめて彼の方を振り返りました。そのビジネスマンは親切心に満ちた彼の顔を見ました。そして、運転手は彼に言いました。「祈りませんか？　キリストをあなたの人生にお迎えしたいのなら、求めましょう」。二人は一緒に祈り、運転手はキリスト教の信仰について書いてある小冊子を彼にくれました。そのタクシーの運転手は、その瞬間はそこにいるけれど、次の瞬間にはどこかへ行ってしまうような、控え目で謙遜な人でしたが、イエス・キリストの福音を伝える機会をちゃんととらえたのです。この出来事が、一人の男性の人生をまったく変えたのです。

力

新約聖書では、福音の宣言には神の力の実証が伴いました。イエスは宣言されました。「時は満ち、神の国は近づいた。悔い改めて福音を信じなさい」(マルコ1:15)。そして、悪霊を追い出し（マルコ1:21～28)、病人をいやす（マルコ1:29～34、40～45）ことによって、福音の力を実証されたのです。

イエスはまた、弟子たちにも同じようにしなさいと言われました。神の国の働き —「その町の病人をいやし」、福音を宣言して、「神の国はあなたがたに近づいた」(ルカ10:9)と伝えなさいと言われたのです。福音書や使徒言行録を読むと、弟子たちがそのようにしたことが書かれています。また、パウロはテサロニケの教会に次のように書き送っています。「わたしたちの福音があなたがたに伝えられたのは、ただ言葉だけによらず、力」（Ⅰテサロニケ1:5）によったからです。

宣言と力のあらわれは、同時になされるものです。しばしば、どちらかが先になされます。あるとき、ペトロとヨハネが教会へ向かっていたときのことです。外には生まれつき足に障害のある人がいました。何年間もそこに彼は座っていました。彼はそこで物乞いをしていたのです。ペテロは実際には次のように言いました。「ごめんなさい。私にはお金はありません。でも私が持っているものをあなたにあげよう。ナザレ人イエス・キリストの名によって歩きなさい」。そう言ってペテロはこの男の手を取り、立ち上がらせました。するとすぐに、この男は躍り上がって立ち上がり、歩き出したのです。そして、いやされたことが分かったとき、この男は歩き回ったり、踊ったりして、神を賛美したのです（使徒3:1〜10）。

そこにいた人たちは皆、彼が生まれつき足に障害を持っていたことを知っていましたので、多くの人が集まってきました。このようにして神の力が現わされた後で、福音が宣べ伝えられました。人びとは尋ねました。「どうしてこうなったのだ？」 ペテロは彼らにイエスのことを伝えることができたのです。「それは、その名を信じる信仰によるものです。イエスによる信仰が、あなたがた一同の前でこの人を完全にいやしたのです」（使徒3:16）。次の章で、神の国の特徴といやしについて、もう少し詳しく学びたいと思います。

祈り

イエスの生涯における祈りの重要性については、すでに学んできましたが、福音を宣言し、その力を示す一方で、イエスは祈っておられました（マルコ1:35〜37）。祈りは、よい知らせである福音を人に伝える上で欠かすことのできないものです。

私たちは、見えない目が開かれるために祈ることが必要です。多くの人は福音に対して盲目です（Ⅱコリント4:4）。もちろん、人びとは肉眼の目で見ることができるでしょう。しかし、霊的な世界を見ることができないのです。私たちは、イエスについての真理を理解することができるように、神の霊によって、見えない人びとの目が開かれるよう祈ることが必要です。

私たちのほとんどは、キリストを信じたときに、だれかが自分のために祈ってくれていたことに気づかされます。家族のだれかであったり、名付け親や友人の場合もあります。ほとんどの場合、私たちの目が開かれて真理を見ることができるようにと、誰かがずっと祈っていたからではないかと私は思います。チャイナ・インランド・ミッションを設立したハドソン・テイラーは何百万人という人に影響を与え、イエス・キリストへと導きました。ヨークシャー育ちの彼は、十代のときに反抗的になりました。ある日、母親が留守で、妹も出かけているときに、一冊のキリスト教の本を手に取りました。その道徳的な部分は無視して物語だけを楽しもうと思い、家の裏にあった納屋のわらに包まって、その本を読みはじめました。

読むにつれて、彼は「キリストの成し遂げられた御業」という言葉に心を打たれたのです。それまでハドソンは、キリスト教とは、悪い行為の借りを善い業で返そうとする、実に退屈な苦闘だと思っていました。彼はとうの昔にその苦闘をやめてしまっていました。あまりにも借りが大きかったからです。彼はただ楽しむことだけを求めていたのです。しかし、この言葉によって目が開かれ、十字架の死によって、キリストが彼の罪の負債をすでに支払ってくださったことが瞬時に分かったのです。「この出来事によって私には喜ばしい確信が芽生え、それはまるで聖霊によって私の魂に光が差し込んだかのようだった。この方の前にひざまずき、救い主としてお迎えし、救いを受け入れ、この方を永遠に崇める以外には、この世ですることは何もないのだ」ということが分かったのです。ルターやバニヤンやウェスレーを考えても、1849年の6月の午後、当時17歳だったハドソン・テイラーが経験したほど、重荷が取りさられ、光によって暗闇が消し去られ、生まれ変わり、キリストとの親しい友情を完全な形で感じることができた人物はいなかったでしょう。

十日後に彼の母親が帰ってきました。「すばらしい知らせがあることを母親に伝えるために」ハドソンは玄関に走っていきました。母親は彼を抱き寄せて言いました。「分かっているわ。あなたが話さなければならないよい便りのことで、お母さんはもう二週間も喜んでいたのよ」。ハドソンは驚きました。母親は80マイルも離れたところにいたのですが、あの納屋での出来事があった、まさにその日に、彼女はハドソンのために祈りたいという抑えることのできない強い思いを感じ、ひざまずいて何時間も祈っていたのです。そして、祈り終えたときには、彼女の祈りが応えられたという、揺らぐことのない確信を持つことができたのです。ハドソンは、祈りの重要性を決して忘れたことはありませんでした（＊58）。

リックという友人がクリスチャンになったとき、彼は一人のクリスチャンの友人に電話をして、何が起きたのか伝えました。その友人は次のように答えました。「ぼくは、君のために４年も祈っていたんだよ」。それから、リックは自分の友人の一人のために祈りはじめ、その友人も10週間後にクリスチャンになったのです。

私たちも友人たちのために祈ることが必要です。と同時に、自分自身のためにも祈ることが大切です。イエスについて人びとに語るとき、否定的な反応があるかもしれません。そのときに起きる誘惑は、あきらめてしまおうというものです。ペトロとヨハネが足の悪い人をいやし、福音を伝えたとき、彼らは捕らえられ、もし伝え続けるなら大変なことになると脅されました。時として、彼らはどうすることもできないほどの否定的な反応に直面しました。しかし、彼らはあきらめなかったのです。そして、彼らが守られるようにではなく、むしろ、もっと大胆に福音を伝えることができるように、また、イエスの御名によってさらに神がしるしと不思議な業をなしてくださるように祈ったのです（使徒4:29～31）。
私たちすべてのクリスチャンが、自分の存在、説得、宣言、力、祈りによって、イエスを伝えることに忍耐強くあることは不可欠です。もし忍耐強く伝え続けるなら、多くの人の人生が変えられていく様子を見ることができるでしょう。
戦時中、一人の男が銃で撃たれ、塹壕（ざんごう）に横たわっていました。友人の一人が彼の側にきて尋ねました。「何かして欲しいことはないか？」
「いや、もうじき僕は死ぬ」。彼はそう答えました。
「誰か、伝言を残したい人はいないか？」
「ああ、この住所のこの人物に、伝言を送ってくれ。『子どものころにあなたが教えてくれたことが、人生最後のこのとき、死の準備をする私を助けてくれている』と伝えてくれ」。
その人物とは、彼の教会学校の先生だったのです。その伝言が届いたとき、その人は次のように言ったそうです。「神様、私をゆるしてください。私は、教会学校を何年も前にやめてしまいました。何にも役に立たないと思ったからです。無駄だと感じていたからです」。
私たちがイエスを伝えるとき、それは決して「無駄」ではありません。なぜなら福音は「信じる者すべてに救いをもたらす神の力だからです」（ローマ1:16）。

13

神のいやしとは？

数年前のことです。私と妻は、一人の日本人の女性に、腰痛がいやされるように祈って欲しいと頼まれました。私たちは彼女に手を置き、彼女をいやしてくださいと神に祈りました。その後は、できるだけ彼女に出くわすことがないようにしていました。いやされなかった理由を彼女にどう説明したらよいか分からなかったからです。ある日、彼女が角を曲がってこちらに向かってきたので、どうにも避けることができませんでした。そこで、恐れていた質問でしたが、きちんと尋ねるのが礼儀だろうと思い、「腰の具合はどうですか？」と尋ねました。

「おかげさまで、お祈りしていただいたときから腰はすっかりよくなったのですよ」と彼女は言ったのです。

なぜか分かりませんが、私はひどく驚きました。

ヴィンヤード・クリスチャン・フェローシップという教会の牧師ジョン・ウィンバーが、彼の教会のチームを連れて私たちの教会に来たとき、日曜日の礼拝で「いやし」というテーマで説教をしました。翌月曜日、ジョン・ウィンバーはリーダーたちの集まりに来ました。部屋には約60〜70人くらいいましたが、そこでもまた彼は「いやし」について語りました。前にも聞いたいやしについての彼の話を喜んで聞いていました。しかし、それは「コーヒーブレイクの後で実際に訓練します」と彼が言うまでのことでした。私たちは未踏の地に足を踏み入れようとしていたのです。ジョン・ウィンバーは、彼のチームが、その部屋にいる人について12の「知識の言葉」をいただいていると言いました。彼が「知識の言葉」（Ⅰコリント12:8）と言ったのは、ある人や状況に関する事実を超自然的に啓示されることで、これは普通の思考で習得されるものではなく、神の霊によって知らされるものだということです。これは、ある情景や文字が頭の中に浮かんだり、聞こえたり、実際に身体に何かを感じたりすることもあるといいます。そしてジョン・ウィンバーはその12の「知識の言葉」を読み上げ、これに該当する人は祈りを受けるため前へ出てくるようにと言いました。私は、これらすべてのことに非常に懐疑的でした。

しかし、一人、また一人と、読み上げられる細かい描写に応答して前へ出て行くのです。確か、その一つは、「14歳のときに薪を割っていて腰を痛めた男性」というようなものでした。部屋の中の信仰のレベルがどんどん高まっているのを感じました。どの知識の言葉にも、だれかが応答していたのです。不妊症に関するものもありました。私たちは、お互いをよく知っていましたので、これについては該当者はいないだろうと思いました。ところが、子どものいない一人の女性が、勇敢にも前に進み出たのです。彼女は祈ってもらい、そのちょうど9ヵ月後に最初の子どもが生まれました！　今では5人の子どもの母親です。

この晩の私は、まさに恐れと懐疑心にあふれ、20世紀の多くの人たちがいやしに関して抱く典型的な態度でした。いやしについて聖書は何と言っているか理解するために、もう一度聖書を読んでみることにしました。もちろん、神は、医者や看護師やその他の医学の協力を得て人をいやされます。しかし調べれば調べるほど、神は今日でも奇跡的にいやされることを期待すべきだと確信しました。

聖書の中のいやし

旧約聖書には、神に従えば神は民をいやし健康にするという約束があります(例:出エジプト23:25〜26、申命記28章、詩編41編)。実際、「わたしはあなたをいやす主である」(出エジプト15:26)とあるように、いやしを行なうのは神のご性質です。また、奇跡的ないやしの例も見ることができます(例:列王記上13:6、列王記下4:8〜37、イザヤ38章)。

最も驚くべき例は、ナアマンのいやしでしょう。ナアマンはアラムの王の軍事司令官で、重い皮膚病を患っていました。気が進まないながらも言われた通りにヨルダン川に7度身を浸したナアマンを、神はいやされました。「彼の体は元に戻り、小さい子供の体のようになり、清くなった」(列王記下5:14)のです。そしてナアマンはイスラエルの神こそが唯一の真の神であるということを認めるのです。ナアマンに指示を与えたエリシャは、ナアマンが差し出した贈物を受け取りませんでした。しかし、エリシャの従者ゲハジは、いやしの謝礼を自分のために騙し取るという致命的な過ちを犯しました。この話から、まず第一に、いやしは人の人生に大きな影響を与えるということが分かります。肉体的なことだけではなく、神との関係にも大きな影響を与えるのです。いやしと信仰は常に密接な関係があります。第二に、聖霊が溢れる神の国をかいま見ることしかできなかった旧約聖書の時代に神がこのようないやしを行われたのなら、イエスがすでに来られて、神の国と聖霊の時代が始まっている今は、さらに多くのいやしを神は行ってくださると確信を持って期待できるのです。

マルコによる福音書には、イエスが最初に語った言葉として、「時は満ち、神の国は近づいた。悔い改めて福音を信じなさい」（マルコ1:15）と記されています。神の国というテーマがイエスの宣教活動の中心にあります。「神の国」「天の国」という言葉は、82ヶ所以上で使われています。ただし「天の国」という言葉はマタイによる福音書の中だけに使われています。この二つは同義語です。「天」という言葉は、聖なる名前を用いずに「神」を表す、ユダヤ人の一般的な表現でした。マタイによる福音書がユダヤ的な背景を持つ一方、ルカとマルコによる福音書は異邦人に向けて書かれましたから、おそらくこうした言葉づかいの違いがあるのでしょう。

ギリシヤ語で「王国」を表す言葉は、「バシレイア」です。これは、アラム語の「ムルクス」の訳語で、おそらくこれがイエスの使った言葉でしょう。これは政治的、地理的な領域の「王国」を意味するだけでなく、活動、つまり統治し支配するという行為の意味も含まれています。ですから、「神の国」とは、「神の統治と支配」という意味もあるのです。

イエスの教えでは、神の国は、「世の終わり」（マタイ13:49）に、決定的な出来事が起こったときに初めて成就するという将来の展望があるのです。例えば、天の国のたとえの一つで、イエスは、世の終わりに収穫のときが来ると語っています。そのとき「人の子は･･･つまずきとなるものすべてと不法を行なう者どもを自分の国から集めさせ･･･そのとき、正しい人びとはその父の国で太陽のように輝く」（マタイ13:24～43）のです。イエスが再び来られるとき、世の終わりが来ます。最初にイエスが来られたとき、イエスは弱さを身にまとって来られましたが、次には「大いなる力と栄光を帯びて」（マタイ24:30）来られるのです。

歴史は、この栄光に満ちたイエス・キリストの再臨というクライマックスへと向かって進んでいるのです（マタイ25:31）。新約聖書には、キリストの再臨に関する記事が全部で300ヶ所以上にあります。キリストが再び来られるとき、それはすべての人に明らかにされるとあります。今のこの世の歴史は、幕を閉じます。そのとき、全ての死者が復活し、裁きの日が来るのです。キリストを拒否した者たちにとって、これは滅びの日となります（Ⅱテサロニケ1:8～9）。その他の者にとって、この日は神の国を受け継ぐ日となります（マタイ25:34）。そこには新しい天と新しい地とがあります（Ⅱペトロ3:13、黙示録21:1）。イエスご自身がそこにおられ（黙示録21:22～23）、イエスを愛し従うすべての人がそこにいるのです。そこには永遠に続く幸せがあふれています（Ⅰコリント2:9）。私たちは朽ちない栄光の体をいただくのです（Ⅰコリント15:42～43）。そこにはもはや死はなく、悲しみも嘆きも痛みもありません（黙示録21:4）。キリストを信じるすべての者は、この日、完全にいやされるのです。

一方、イエスの教えと働きの中には、すでに神の国が始まり、近づいていることの兆しを見ることができます。イエスはファリサイ派の人びとに、「神の国はあなたがたの間にあるのだ」（ルカ17:20～21）と言われました。隠した宝と真珠のたとえ（マタイ13:44～46）で、イエスは、天の国がこの時代でも発見され、体験されうることを示されました。イエスが、ご自分の使命は旧約聖書の約束をこの歴史の中で成就することであるととらえていたことは、福音書を通して明らかです。ナザレの町の会堂で、イエスは、イザヤ61章1～2節の預言の御言葉を読まれ、「この聖書の言葉は、今日、あなたがたが耳にしたとき、実現した」（ルカ4:21）と言われました。イエスは、公生活の間になさったことによって、つまり、罪をゆるし、悪を制圧し、病をいやすことによって、神の国はすでに現実のものであるということを示されたのです。

神の国は「今」であり、同時に「来たるべき時代」でもあるのです。ユダヤ人たちの期待は、次の図のように、救世主はすぐに現れ、完全な神の国が始まるというものでした。

この時代　　　　**来るべき時代**

イエスの教えはこの考えを修正したもので、次の図にまとめられます。

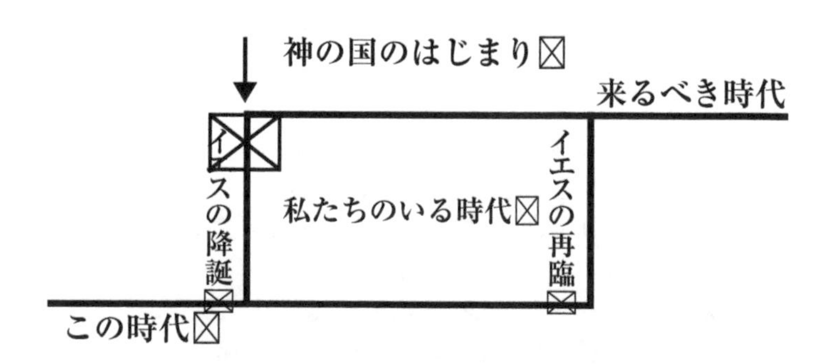

私たちは今、神の国が歴史に介入した時(イエス降誕)と、来たるべき時代の間の時に生きています。古い時代は続いているのですが、新しい時代の力が今も吹き込まれているのです。将来の神の国はすでに歴史に介入し、始まっているのです。イエスは神の国について語りました。そして病人をいやしたり、死人をよみがえらせたり、悪霊を追い出したりすることによって、神の国が現在すでに始まっていることを示されたのです。

福音書の四分の一は、いやしに関するものです。イエスはユダヤ地方のすべての病人をいやしたわけではありません。イエスは個人単位あるいは少人数のグループ単位でいやされました。(例：マタイ4:23、9:35、マルコ6:56、ルカ4:40、6:19、9:11)。病のいやしは、神の国ではごく当たり前の活動の一部だったのです。

イエスはこれらのいやしをご自身で行なっただけでなく、弟子たちにも同じようにするように権限を与え、まず12人を任命しました。これはマタイによる福音書にはっきりと記されています。マタイは「イエスはガリラヤ中を回って、諸会堂で教え、御国の福音を宣べ伝え、また、民衆のありとあらゆる病気や患いをいやされた」(マタイ4:23) と語っています。それから彼は、マタイによる福音書5～7章の山上の説教で、イエスの教えを紹介し、9つの奇跡 (おもにいやし) を記し、最後にマタイによる福音書4章23節をほとんど同じ言葉で繰り返す形でしめくくっています。「イエスは町や村を残らず回って、会堂で教え、御国の福音を宣べ伝え、ありとあらゆる病気や患いをいやされた」(マタイ9:35)。マタイはここで、インクルーシオと呼ばれる文学的手法を用いています。これは、同じ文章を繰り返すことによって、句読点を使ったり改行したりせずに、その段落の始めと終わりを表す手法です。イエスご自身がなさったことを示したあとで、マタイは、イエスが12人を送り出したと語っています。イエスは弟子たちに、行って同じことをし、同じメッセージを語るようにと命じたのです。「行って『天の国は近づいた』と宣べ伝えなさい。病人をいやし、死者を生き返らせ、重い皮膚病を患っている人を清くし、悪霊を追い払いなさい」（マタイ10:7～8）と命じられたのです。

イエスが任命したのは12人だけではなく、さらに72人を任命しました。イエスは彼らにも、行って「その町の病人をいやし、また、『神の国はあなたがたに近づいた』と言いなさい」（ルカ10:9）と命じられました。72人は喜んで帰ってきて、「主よ、お名前を使うと、悪霊さえもわたしたちに屈服します」（17節）と言いました。

イエスが任命したのは、12人あるいは72人だけではありませんでした。イエスは**すべての**弟子たちが同じことをするように期待しておられたのです。イエスは弟子たちに「あなたがたは行って、すべての民をわたしの弟子にしなさい。･･･あなたがたに命じておいたことを**すべて**守るように教えなさい」（マタイ28:18～20、強調筆者）と言われましたが、「いやし以外のすべて･･･」とは言いませんでした。

マルコによる福音書の最後にも同じ内容のことが記されています。これは、少なくとも初代教会がイエスの命令をどのようにとらえていたかの素晴らしい証拠です。イエスは言われました。「『全世界に行って、すべての造られたものに福音を宣べ伝えなさい。･･･**信じる者**には次のようなしるしが伴う。彼らはわたしの名によって悪霊を追い出し･･･病人に手を置けば治る』･･･弟子たちは出かけて行って、至るところで宣教した。主は彼らと共に働き、彼らの語る言葉が真実であることを、それに伴うしるしによってはっきりとお示しになった」（マルコ16:15～20、強調筆者）。イエスは「**信じる者**には次のようなしるしが伴う」と言われました。イエス・キリストを「信じる者」、つまりすべてのクリスチャンという意味です。

ヨハネによる福音書にも同じことが書いてあります。イエスは奇跡について語っているとき、「わたしを信じる者は、わたしが行なう業を行い、また、もっと大きな業を行うようになる。わたしが父のもとへ行くからである」（ヨハネ14:12）と言いました。もちろんだれもイエスより偉大な奇跡を行った人はいませんが、イエスが父のもとへ戻られて以来ずっと多くの奇跡が行われてきました。イエスは奇跡を行なうのを止められることはなく、今は、弱く不完全な人間を用いて行われるのです。「わたしを信じる者は」だれでも･･･と、ここでも書かれています。これはあなたであり、私なのです。これらの命令や約束は、特定のクリスチャンにかぎられているものではありません。

イエスはいやしを行われました。弟子たちに同じようにしなさいと命じられ、彼らはそうしました。使徒言行録に、弟子たちがこの命令を実行している様子を見ることができます。弟子たちは伝道し教えるだけでなく、病人をいやし、死人を生き返らせ、悪霊を追い出しました（使徒3:1～10、4:12、5:12～16、8:5～13、9:32～43、14:3,8～10、19:11～12、20:9～12、28:8～9）。パウロが、このような能力は弟子たちに限られたものではないと考えていたことは、コリントの信徒への手紙一12～14章からはっきりと分かります。同じようにヘブライ人への手紙にも、神が「しるし、不思議な業、さまざまな奇跡、聖霊の賜物」(ヘブライ2:4) によって、証ししておられると書かれています。

聖書のどこにも、いやしが特定の時代に限られるものだという記述はありません。それとは反対に、いやしはイエスによって始められ今日まで続いている神の国を表すしるしの一つなのです。私たちは、神の国の働きの一部として、神が今日も奇跡的ないやしを続けてくださることを期待すべきなのです。

教会史に見られるいやし

エヴリン・フロストは、その著書『キリスト教のいやし』という本の中で、クアドラタス、ジャスティン・マーター、アンティオキアのテオフィロス、イレナエウス、テルトゥリアヌス、オリゲンといった初代教会の人物らによる著書を詳細に検証し、いやしは初代教会においてはごくあたりまえの活動であったと結論づけました。

イレナエウス(約130〜230年) は、リヨンズ地区の主教で初代教会の神学者の一人です。その著書で、次のように述べています。

> 真にイエスの弟子であり、イエスから恵みを受けていた人たちは、イエスの御名により「奇跡」を行い、それぞれが神から受けた賜物に従って働き、他の人びとの幸福を増し加えていた。ある者はまさに悪霊を追い出した。それによって悪霊より清められた者たちは「キリスト」を信じ、教会に加わることもしばしばだった。またある者は未来に起こることを予測できた。このような者は、幻を見たり、預言を語ったりした。病気の人に手を置いて病を治すこ

とのできる者もいた。病人は完全にいやされるのだった。それればかりでなく、死人が生き返り、その後何年も我々と共に生きたということもあった（＊59）。

オリゲネス（約185～254年）もまた、初代教会における神学者、聖書学者で著述家でしたが、当時のクリスチャンに関して次のように記しています。「彼らは悪霊を追い出し、多くのいやしを行い、未来の出来事を予見した･･･。イエスの御名は、･･･どんな患いも取り除くことができたのである」。

それから200年経った後でも、神が人間を直接いやされるという期待はありました。ヒッポレギウス地方のアウグスティヌス（紀元後354～430年）は、4世紀の中で最も優れた神学者であったと言われていますが、その著書『神の国』の中に、「今でも奇跡はキリストの御名のもと行われている」と記しています。彼はミラノにいたときに、そこで盲目の人がいやされた例を挙げています。それから彼と共に滞在していたインノケンティウスという男性がいやされた様子を記録しています。この男性は医者から潰瘍の治療を受けていましたが、「数多くの瘻孔（ろうこう）が直腸に複雑に根をはっている」状態であったといいます。かなりの苦痛を伴う手術を、すでに一度受けていました。再度手術をすることは不可能だろうと言われていました。クリスチャンたちが彼のために祈っていたときに、まるでだれかが彼を乱暴に地面に投げつけたかのように、彼は地面に倒れこみました。そしてうめきすすり泣き、全身をふるわせ、口をきくこともできない状態になったのです。恐れていた2回目の手術の日が来ました。「外科医が到着した。･･･見るも恐ろしい手術の道具が並べられ、患部が切開されるためにあらわにされた。外科医は･･･手にメスを持ち、取り除くべき瘻を探そうと目をこらした。まず目で探し、それから触診した。あらゆる方法で精密に検査した」。医者は、完全にいやされた患部の痕しか見つけることができませんでした。「恵み深い全能なる神へのこの喜びと賛美と感謝を、どんな言葉で言い表すことができるだろうか。それは私たちの唇から流れ出て、涙と喜びが満ち溢れた。言葉では描写できない。あとは想像にまかせます！」

次に、当時、国の最高の地位にあった敬虔なクリスチャンのインノケンティアという女性のいやしの例を挙げています。彼女は、医者たちが決して治ることはないだろうと言っていた乳癌がいやされたのです。医者はどのようにして治ったのか興味を持ちました。彼女が、イエスがいやしてくださったと言うと、医者は激怒して言いました。「医学上の大発見ができたかと思ったのだぞ！」彼女は医者の無神経さにぞっとしながらも、医者にこう言いました。「キリストにとっては癌を治すことくらいたやすいことです。死んで4日も経った人を生き返らせたのですから」。

アウグスティヌスは更に、通風を患っていた医師がまさに「洗礼を受けている最中に」いやされたという例を記しています。また、洗礼の最中に麻痺した体ばかりでなく、ヘルニアもいやされたという年老いた喜劇役者の例も挙げています。アウグスティヌスはあまりにも数多くの奇跡的ないやしを見てきました。彼はこう自問しています。「私はどうすればよいのだろうか。この仕事を完成するようにと追い立てられているが、今現在でさえ、私の知っているすべての奇跡を書ききることはできない。ここに記されている奇跡を行なったまさに同じ神が、引き続き今もなお奇跡を行っているのだ」。

教会の歴史の中で、神はずっと人びとを直接いやし続けてこられました。現在まで、いやしがなかったという時代はありません。

エドワード・ギボンは英国の合理主義者で歴史家で哲学者でもありますが、その有名な著書『ローマ帝国の衰退と没落の歴史』(1776～1788) の中で、キリスト教の目を見張るべき急激な成長の五つの主な原因を挙げています。一つは「初代教会の奇跡的な力」であると言います。「キリスト教会は使徒の時代、最初の弟子の時代から、奇跡的な力、つまり異言の賜物や幻や預言、悪霊を追い出す力、病人をいやす力、死人を生き返らせる力といった賜物が、途切れることなく力を持っていると主張している」と記されています。ギボンは、その時代の矛盾を、続けて指摘しています。「潜在性の、しかも無意識の懐疑主義が、最も信心深い人びとの心にもこびりついている」。初代教会に比べて、彼の時代の教会は「超自然的な真理が入り込む余地はほとんどなく、それに対しては積極的な同意というよりも冷淡で平然とした黙認しかない。自然の秩序を長い間観察し尊ぶことに慣れきってしまった結果、私たちの理性や想像力は、目に見える神の行為を認める準備がまったくできていないのだ」と述べています。同じこと、あるいはそれ以上のことが、私たちの時代にもあてはまるのでしょう。

今日のいやし

神は今日でも人びとをいやしておられます。あまりにも多くの人びとの素晴らしいいやしの話があるので、どの例を挙げようか迷います。私たちの教会での最近の洗礼式と堅信式のときに、アジャイ・ゴーヒルが証をしてくれました。彼はケニヤで生まれ1971年に英国に来ました。ヒンズー教の環境で育ち、彼の家族はニースデンという町で新聞販売業を営んでいました。21歳のとき、彼は紅皮症乾癬にかかってしまいました。皮膚が赤くただれてしまう慢性的な皮膚病です。体重は73キロから47キロに激減してしまい、彼は米国、ドイツ、スイス、イスラエル、英国各地、ハーレー街(一流医師が多くいる通り)など、世界中を訪れてこの病気の治療を受けました。彼の言葉を借りれば、収入の8割をこの病気の治癒方法を見つけるために費やしたとのことでした。肝臓に副作用が出るほどの強い薬も投与されました。ついには、仕事を辞めざるを得なくなりました。皮膚病は頭のてっぺんから足の先まで、彼の全身を覆いました。見た目にもひどい様子でしたので、水泳に行くことはもちろんのこと、Tシャツを着て歩くことさえできませんでした。友人は去っていきました。妻と息子も去っていきました。死にたいと思いました。1987年8月20日、彼は、聖トマス病院のエリザベス病棟で車椅子に乗っていました。もう7週間もこの病院で様々な治療を受けていました。10月14日、彼はベッドに横になって、ただ死にたいと考えていました。彼は叫びました。「神様！　もしあなたがこの状況をご覧になっているのでしたら、どうぞ私を死なせてください。もし悪いことをしていたのでしたら、心から謝ります」。アジャイはこのとき「神がそこにおられると感じた」とのことです。彼はロッカーに行って聖書を引っぱり出しました。何気なくページを開くとそれは詩編38編でした。

> 主よ、怒ってわたしを責めないでください。憤って懲らしめないでください。あなたの矢はわたしを射抜き、御手はわたしを押さえつけています。わたしの肉にはまともなところもありません。あなたが激しく憤られたからです。骨にも安らぎがありません。わたしが過ちを犯したからです。わたしの罪悪は頭を超えるほどになり、耐え難い重荷となっています。負わされた傷は膿んで悪臭を放ちます。わたしが愚かな行いをしたからです。わたしは身を屈め、深くうなだれ、一日中、嘆きつつ歩きます。腰はただれに覆われています。わたしの肉にはまともなところもありません。もう立てないほど打ち砕かれ、心はうめき、うなり声をあげるだけです。わたしの主よ、わたしの願いはすべて御前にあり、嘆きもあなたには隠されていません。心は動転し、力はわたしを見捨て、目の光もまた、去りました。疫病にかかったわたしを愛する者も友も避けて立ち、わたしに近い者も、遠く離れて立ちます。･･･主よ、わたしを見捨てないでください。わたしの神よ、遠く離れないでください。わたしの救い、わたしの主よ、すぐにわたしを助けてください（詩編38:1～12、22～23）。

一つひとつの言葉が、自分にあてはまるように思えました。アジャイは神にいやしてくださいと祈り、深い眠りにつきました。翌朝目が覚めると「すべてが新しく見え」ました。お風呂場に行って浴槽につかってリラックスしました。浴槽のお湯を見ると、彼の皮膚がはがれて浮かんでいます。アジャイは看護師を呼んで、神が今彼をいやしているのだと言いました。彼の皮膚はまるで赤ん坊のように新しい皮膚になりました。彼は完全にいやされたのです。それから彼は息子と再会し、再び共に生活するようになりました。彼の心の中で起こったいやしは、身体的ないやしよりずっと素晴らしいものであったと言っています。「毎日を、私はイエス様のために生きています。私はイエス様のしもべです」と。

神はいやす神です。「わたしは救う」という意味のギリシヤ語は、「わたしはいやす」という意味でもあります。神は私たちの霊的な救いだけではなく、私たちの存在すべてが救われることを願っておられるのです。いつの日か私たちは新しい完全な体をいただきます。しかし、この世においては完全になることは決してありません。今日神がだれかを奇跡的にいやすとき、私たちは、将来私たちの体が完全に贖われるときのことをかいま見るのです（ローマ8:23）。もちろん私たちが祈るすべての人がいやされるわけではなく、人間は死を避けることはできないのです。私たちの体は朽ちるものです。ある時点で、いやしを祈るよりも、死に対する心構えができるように手助けをした方が適切な場合もあります。例えばホスピスの活動などによって、死にゆく人たちに愛や思いやりを与えることが不治の病の人びとに尊厳を与え、病人の世話をしなさいというイエスの命令を実行することでもあるのです。ですから、私たちは聖霊の導きに敏感でなくてはなりません。

だからといって、いやしのために祈るのをあきらめようと思う必要はありません。多くの人のために祈れば祈るほど、より多くのいやしを見ることができます。愛と思いやりをもって祈られた場合、多くの場合、いやされなかった人でも、祈られたことによって祝福されたと言っています。神学生だったころ、腰を痛めている男性のために何人かで祈ったことがありました。この人はいやされたとは思わなかったのですが、後に私にこう言いました。「神学校に入って始めて、だれかが私のことを気にかけてくれているのだということを体験しました」。また最近ある人は、いやされなかったけれど、祈られているときに神の霊が今までにないほどはっきりと感じられ、人生が一変したと言いました。

特別ないやしの賜物を持っている人もいます(Ⅰコリント12:9)。今日、世界中に、素晴らしいいやしの賜物を持った人びとがいます。これは、いやしに関して、すべて彼らにまかせればいいという意味ではありません。いやしなさいという命令は、私たちすべてに対してなされたものです。すべてのクリスチャンが福音宣教の賜物をいただいているわけではなくても、だれもがイエスについて他の人に語るように求められているのと同じように、すべての人がいやしの賜物を受けていませんが、だれもが病人のために祈るように求められているのです。

では実際に、病人のためにはどのように祈ったらよいのでしょうか。いやしを行なうのは神であり、私たちではないということを常に心に留めておくことが大変重要です。特に技術が必要なわけではありません。愛と単純さをもって祈るのです。イエスがそうされた動機は、人びとに対する思いやりからでした(マルコ1:41、マタイ9:36)。私たちが真に人びとを愛しているのなら、常に尊敬をもって大切に接するでしょう。そして、いやす方はイエスであると信じるなら、私たちは単純に祈るだけです。なぜなら、いやしをもたらすのは私たちの祈りではなく、神の力だからです。

ここに簡単な手順を記しましょう。

どこが痛みますか？

いやしの祈りを求めている人には、まずどこが悪いのか、何のことを祈って欲しいのか具体的に尋ねます。

何が原因ですか？

もちろん、交通事故で足が折れたというのは分かりやすい例ですが、その問題の真の原因を私たちに示してくださるよう、神に願わなければならないこともあります。私たちの教会のある女性は左下半身の腰痛があり、その痛みのために、眠ることも、動くことも、もちろん仕事をすることすらできないほどになりました。医者は関節炎のための薬を処方しました。ある晩、彼女は祈って欲しいと私たちに頼んだのです。彼女のために祈っていた一人の女性が、「ゆるし」という言葉が心に浮かんだと言いました。そして、腰痛のその女性は、非常に葛藤を覚えながら彼女を傷つけた人をゆるすことができたのです。そしてその夜、彼女は部分的にいやされました。後に彼女はこの友人にゆるしの手紙を投函しましたが、その瞬間に、完全にいやされたのです。

どのように祈ればよいのでしょうか？

新約聖書には、いくつかの模範が記されています。それらはとても簡単です。時にはイエスの御名によって、神にいやしてくださるよう祈り、聖霊に、その人に来てくださるよう願います。祈るときに、主の名によって油を塗ることもあります(ヤコブ5:14)。多くの場合は、手を置いて祈ります（ルカ4:40）。

どのように感じますか？

祈ったあと、その人に何を体験しているか聞いてみます。何も感じないこともあります。その場合は祈り続けます。あるいは、いやされたと感じるときもあるでしょう。しかしときが経ってみないと分からないでしょう。少し良くなったが完全にいやされてはいない場合もあるでしょう。その場合には、イエスが盲目の男性にしたのと同じように、続けて祈ります（マルコ8:22〜25)。もうやめてよいと感じるまで、祈り続けるのです。

次にすべきことは？

いやしのために祈った後、その方がいやされたかどうかにかかわらず、神の彼らへの愛を再び確信させることが大切です。そして、いつでも自由に戻ってきて祈りを受けられることを伝えましょう。私たちは相手の心に決して負担をかけてはなりません。彼らの信仰が足りないためにいやしが行われなかったなどとは決して言ってはならないのです。私たちは常に祈り続けるように、また教会といういやしの共同体に根ざすようにと励ますのです。教会は、長期間にわたるいやしがよく起こる場なのです。

最後に、人びとがいやされるように辛抱強く祈り続けることが大切です。すぐに劇的な結果が得られない場合には、がっかりしてしまいがちです。私たちが祈り続けるのは、イエス・キリストの命令への従順ゆえです。神の国について宣べ伝え、神の国が近づいているのだということを、とりわけ病をいやすことによって示すようにとイエス・キリストは命じられたからです。何年も続けて祈っていくと、私たちは神が人びとをいやされるのを見るでしょう。

私はかつて、ブロンプトン病院にいたある女性を訪ねるように頼まれたことがあります。彼女は30代で3人の子供がいて、4人目の子供を妊娠中でした。同棲中だった夫はすでに彼女のもとを去っていて、そのとき彼女は自活していました。彼女の3番目の子供はダウン症でした。心臓に穴があいていて手術も受けていました。手術は成功せず、無理もないことですが、医師たちは、この子どもの生命維持装置を止める方がよいと思っていました。医師たちは3度、装置を止めて赤ちゃんを死なせてあげてもよいかと彼女に聞きました。3度とも彼女は「ノー」と言いました。最後に一つのことを試してみたかったからです。彼女は、誰かにこの子どものために祈って欲しいと思ったのです。そこで、私が病院に行きました。彼女は、自分は特に神を信じているわけではないと言いながら、息子のところに私を連れて行きました。この子どもの体中にチューブがさし込まれ、全身あざだらけで腫れ上がっていました。彼女は、この子が助かったとしても心臓が長い間止まったままなので、脳に障害が出るだろうと医師たちは言っていると言いました。「祈ってくれますか?」と彼女は言いました。そこで私はイエスの御名によって、神がこの子どもをいやしてくださるようにと祈りました。そして私はどのようにイエス・キリストに人生を献げることができるかを説明し、彼女はその通りにしました。その日はそれで帰りましたが、二日後に再び病院を訪れました。私を見ると彼女は飛び出してきました。「あなたに連絡が取りたかったのです！　すごいことが起きたのです。祈ってくださった晩、あの子は峠を超えました。治ったのです！」と彼女は言いました。数日後、彼は退院して家に帰っていきました。その後、彼女に連絡を取ろうとしましたが、彼女の連絡先を知りませんでした。それでも彼女は私の留守番電話にいつもメッセージを残してくれていました。それから六ヶ月ほどして、私が他の病院でエレベーターに乗っていたときのことです。一組の母子が一緒に乗っていましたが、すぐにはだれだか分かりませんでした。母親が「ニッキー？」と聞きましたので、私はそうだと答えました。すると彼女は、「これがあのとき、あなたが祈ってくださった子どもです。素晴らしいことに、手術から回復しただけでなく、以前には悪かった聴力もだいぶ良くなったのですよ。ダウン症の方も前よりずっと良くなっています」と言ったのです。

それ以来、私は、この家族の親戚のために、二度、葬儀の司式をしました。どちらの葬儀のときも、日ごろは教会に行っていない参列者が次々と私のところに来て、「あなたがクレイグのために祈ってくださった方ですね。神様がクレイグをいやしてくださったのですね！」と言いました。彼らは皆、クレイグをいやしたのは神だと知っていました。なぜなら皆クレイグが瀕死の状態だったことを知っていたからです。子どもの母親、ヴィヴィアンの変化も、親戚の人びとに大きな影響を与えました。キリストに出会って以来、彼女はすっかり変えられました。以前同棲していた人と結婚する決心をしました。彼も、彼女の生活の変化を見て、彼女のもとに戻ってきたのです。二人は今は結婚して、彼女は別人のようです。二度目の葬儀のときには、ヴィヴィアンは親戚や友だちの間をまわって言っていました。「以前は信じてなかったけれど、今は信じているの」。それから間もなくして、クレイグのおじさんとおばさんも教会に来るようになり、教会の最前列に座って、イエス・キリストに人生を献げました。なぜなら、いやしの中に働いた神の力を見て、イエス・キリストこそが神であると分かったからです。

14

教会とは？

アブラハム・リンカーンが、かつてこう言いました。「日曜日の朝、教会で居眠りをする人を、端から端まで横に一列に寝かせてあげたら･･･、もっと気持ちよく眠れるにちがいない」。固い椅子、歌いにくい賛美歌、無理やりの沈黙、耐えがたいほどの退屈さ、これらは日曜日の教会の一般的なイメージを作り上げている要素の一部です。おいしそうなお昼ご飯の匂いが漂ってきて、ようやくその日の明るい見通しにほっと息をつける。それまでは歯をくいしばって耐えなくてはならない禁欲的な時間というイメージがあるのです。ある牧師が一人の男の子を教会の中を案内し、記念の品々を見せていました。「ここにあるのが、亡くなられた教会の聖職者の方々のお名前だよ」。すると男の子は聞きました。「朝の礼拝で死んじゃったの？　それとも、夜の礼拝？」

「教会」と聞くと聖職者を連想する人がいます。聖職につく人のことを「教会に入る」と言います。聖職につくことを生涯の仕事として選ぶ人は、しばしば疑惑の目で見られがちです。他に何もできることがなかったのだろうと思われるのです。ですから教会の新聞に「45歳以上で、これからどうしたらよいか分からない方、キリスト教の聖職の道を考えてみませんか？」などという広告が載ったりするのです。時々聖職者は、「六日間は姿を現わさず、あとの一日はまったく理解することができない！」と言われたりします。

「教会」と聞くと、ある特定の教派を連想する人もいます。例えば、バプテストや、メソジストなど。「教会」という言葉から建築物を連想する人もいます。こういう人は、聖職につくからには、彼らはきっと教会建築に深い興味を持っているのだと考え、旅行に行くとその地域の教会の絵葉書を牧師に送ったりします。ある牧師は、自分は教会建築に何の興味もないから教会の建物の絵葉書は送らないで欲しいと、教会員にお願いしたことがあると聞きました。

年間スケジュール帳の「田舎のおばさん訪問」と「村の祭りのためのケーキ作り」の間あたりに、「教会」と書くだけの人もいます。ここに挙げたタイプの人以外は、次の歌のように感じているかもしれません。

> 他に何にもすることがなかったら、
> 教会に行ってもいいかもね。
> そうすればついに、私が担ぎ込まれたとき、
> 「おまえはだれだ？」と
> 神様に言われなくてすむからね。

この考え方には、いくらか真実が含まれているかもし

れませんが、多くのクリスチャンはこうした教会のイメージを払拭したいと思っています。なぜなら、これは新約聖書にある教会の姿とはまったく合わないからです。今日、多くの教会では、驚くほど温かく積極的なクリスチャンの集まりをもっています。これは聖書にある教会の姿にずっと近いものです。新約聖書の中には、100以上もの教会に関するイメージやたとえがあります。この章では、教会を理解するために、大切なその中の五つを取り上げ、見ていきたいと思います。

神の民

教会は人びとが集まって成り立っています。ギリシヤ語で教会を表す言葉は「エクレシア」といい、「集会」あるいは「人びとの集まり」という意味です。新約聖書には、普遍的教会についての記述があります。（例：エフェソ3:10,21、5:23,25,27,29,32）普遍的教会は、何年にもわたってキリストの御名を信じると公言してきた、世界中の人びとによって構成されています。

洗礼は、教会の一員になることの目に見えるしるしです。これはまた、クリスチャンになるとはどういう意味かということの目に見えるしるしでもあります。洗礼は、罪から清められること（Ｉコリント6:11）、キリストと共に死んで新しい命に生きること（ローマ6:3〜5、コロサイ2:12）、そして聖霊が私たちの命･人生にもたらす生ける水（Ｉコリント12:13）を象徴しています。イエス自身が弟子たちに、行ってすべての民を弟子とし洗礼を授けなさいと命じました（マタイ28:19）。

普遍的なキリスト教の教会の数は数え切れません。

『ブリタニカ百科事典』によると、クリスチャンの数は270カ国に19億人、これは世界人口の34パーセントです。極端に制圧的な体制の国々では、教会は迫害されています。このような地域では、教会は主に地下組織として広がり、大変力強いとのことです。第三世界では、急速な勢いで教会が成長しています。ケニヤのような国では、今では人口の約80パーセントがクリスチャンであると公言しているようです。一方、自由世界では教会数は著しく衰退しつつあります。クリスチャン・リサーチという調査機関によって行われたアンケートによると、英国では1990年代に100万人の人が日曜日に教会に行くのをやめています。かつては西欧諸国が第三世界に宣教師を送っていた時代もありました。ですが、私のケンブリッジ大学時代に、3人のウガンダ人の宣教師が福音を伝えるために大学に来たことを覚えています。そのとき、私は、世界がこの150年の間にどれほど大きく変化したかということに衝撃を受けました。英国も他の国と同じように宣教師を送ってもらう立場になったことを知ったからです。

新約聖書の中で、パウロは地域教会、例えば「ガラテヤの教会」(Ｉコリント16:1)、「アジア州の諸教会」(Ｉコリント16:19)そして「キリストのすべての教会」(ローマ16:16)について話しています。これらの地域教会は、時にはさらに小さなグループに分かれ、家庭で集会をもっていたようです（ローマ16:5；Ｉコリント16:19)。

実際には、聖書の中には三種類の集会があったようです。一つは大きな集会、次に中くらいのサイズの集会、そして最後に、少人数で集まる集会です。これらを通して、私たちは「教会」を体験します。祝典、中くらいのサイズの集会、そしてスモール・グループなどの少人数の集会です。これらはどれも重要で、お互いを補い合います。

祝典は、クリスチャンたちの大きな集まりです。大きな教会では毎週日曜日に行われることもあり、あるいはいくつかの小さな教会が礼拝をするために集まって行なうこともあります。旧約時代には、過越しや五旬節や新年の祭りに、神の民がこれらの大きな祝典を楽しむために集まりました。今日では、クリスチャンたちが集う大規模な集会には、神によって与えられる感動が溢れます。このような集会を通して、多くの人が神の偉大さや礼拝の深遠さを、再び新たに感じるのです。何百人ものクリスチャンが集まるこのような集会では、孤独だと感じていた人たちに自信を取り戻させ、その地域の教会の存在をはっきりと感じさせることができるでしょう。しかし、このような大きな集会だけでは十分ではありません。クリスチャン同士の友情を容易に築ける場ではないからです。

次に、普段の礼拝や集会は、この意味で、中くらいのサイズ（35人位）の集まりです。このくらいの人数だと、その場にいるほとんどの人のことを知ることができ、自分のことも知ってもらえます。このような場でこそ、クリスチャン同士の長く続く深い友情を築くことができるのです。それはまた、互いに愛し合い受け入れあう雰囲気に溢れ、失敗をすることを恐れずに、自由に、聖霊の賜物を使ってミニストリーをできる場でもあります。また、一人ひとりが多くのことを学べる場でもあります。例えば、学びの話（トーク）をしたり、賛美を導いたり、病気の人のために祈ったり、預言の賜物を実践したり、声に出して祈る練習をしたりすることができます。

三つ目のレベルの集いは、私たちが「スモール・グループ」と呼んでいる小さなグループですが、2～12人が集まって聖書の学びをしたり共に祈ったりします。教会での最も親しい友情関係が育まれるのは、このようなスモール・グループの中です。秘密を厳守すること（うわさをされる不安を持たずに、自由に話し合える雰囲気）、親密さ（人生での本当に重要なことについて話し合うことができる雰囲気）、信頼性（他の人の言うことを喜んで聞いて、他の人から学ぶという態度）が、このようなスモール・グループの特徴です。

神の家族

イエス・キリストを人生に迎え入れると、私たちは神の子どもとなります（ヨハネ1:12）。これにより、教会には一致が与えられます。私たちは皆、神を自分の父とし、イエス・キリストを救い主とし、聖霊が内に住んでくださる一つの家族なのです。兄弟姉妹たちとけんかをしたり仲たがいをしたり、長い間会わないこともあるでしょう。それでも、兄弟姉妹は、ずっと兄弟姉妹なのです。何があってもその関係を終わらせることはできないのです。ですから、教会もたとえ分裂しているように見えることがあっても実際には一つなのです。

とはいえ、実際には一つなのだから不一致に見えるままでも構わないという意味ではありません。イエスは弟子たちに「彼らも一つとなる」（ヨハネ17:11）ようにと祈っています。パウロは「霊による一致を保つように努めなさい」（エフェソ4:3）と言っています。分裂した家族のように、私たちも常に和解のために努力をしなくてはならないのです。受肉は、「一致」という目に見えないものを目に見える形で表すことを求めるのです。もちろん、この一致は「真理」を犠牲にして達成されるべきではありません。しかし中世の著作家ルペルトゥス・メルデニウスが言っているように、「必要な場面では一致を保ち、疑わしい場面では自由を保ち、すべてにおいて愛を保つ」ことです。

スモール・グループや地域教会や大規模な礼拝や集会などにおいても一致を、また、自分の教派内でも、また、教派間にも、どのレベルにおいても、私たちは「一致」を追及しなければなりません。このような一致は、神学者や教会リーダーが集まり、神学的な相違を話し合ったり考えたりする場を持つことによっても、もたらされます。しかし、普通のクリスチャンたちが集い、共に賛美礼拝し、共に働くことによって、この一致はさらに効果的に与えられるのです。キリストに近づけば近づくほど、私たちの人間関係もさらに近いものとなるのです。ディビッド・ワトソンは大変印象的なたとえを用いて次のように表現しています。

> 飛行機で旅行をするとき、飛行機が地面から離れると、地上にいるときには大変大きく印象的に思えた建物の壁や生垣などが、みるみるうちに小さくなって、取るに足らないもののように思えてきます。同じように聖霊の力が私たちをイエスの臨在を悟るところまで引き上げてくださるとき、私たちの間にある壁はまったく重要でなくなるのです。キリストと共に天国のような素晴らしいところにいるときには、他のクリスチャンとの違いなどは、取るに足らない些細なことのように見えるものなのです（＊60）。

同じ方を父としているのですから、私たちは皆兄弟姉妹であり、互いに愛し合うように求められています。ヨハネは大変はっきりと次のように記しています。

> 「神を愛している」と言いながら兄弟を憎む者がいれば、それは偽り者です。目に見える兄弟を愛さない者は、目に見えない神を愛することができません。神を愛する人は、兄弟をも愛すべきです。これが、神から受けた掟です。イエスがメシアであると信じる人は皆、神から生まれた者です。そして、生んでくださった方を愛する人は皆、その方から生まれた者をも愛します（Ｉヨハネ4:20〜5:1）。

教皇の専任説教師であるラニエロ・カンタラメッサ神父は、異なった多くの教派から何千人も集まった集会で次のように語りました。「他のクリスチャンと言い争いをすることは、神に、『私たちか、彼らか、どちらか選んでください』と言っているのと同じことです。天の父は、子どもである私たち**すべてを**愛しておられるのです。私たちは『あなたが子どもとして受け入れられたすべての人びとを、私たちは自分の兄弟姉妹として受け入れます』と言うべきなのです」。

私たちはお互いに親しい友情関係を築くように求められています。ギリシヤ語の「コイノニア」という言葉は、「共有する」あるいは「分ち合う」という意味です。これは、人間の最も親密な関係、夫婦関係のために使われる言葉です。私たちの交わりは、神（父と子と聖霊 ― Ｉヨハネ1:3、Ⅱコリント13:13）との交わり、そして互いの交わり（Ｉヨハネ1:7）です。クリスチャンの交わりは人種、肌の色、教育、環境、すべての文化的壁を超越するものです。教会の外では決して体験することのできない、大変深い友情関係が教会の中にはあるのです。

ジョン･ウェスレーは「新約聖書は、孤独な宗教とはまったく無縁な存在である」と言っています。私たちはお互いに交わりを持つ仲間であるように望まれているのです。これは自由に選択するというものではありません。一人ではできないことが二つあります。一人では結婚できないし、一人ではクリスチャンでいることはできません。C.E.B.クランフィールド教授はこれを次のように表しています。「どこにも所属していないクリスチャンは、クリスチャンではあるが、この世界の目に見える教会に属することを拒否するのはその高慢さの表れであり、これはある意味矛盾といえよう」。

ヘブライ人への手紙の筆者は読者に強く勧めています。「互いに愛と善行に励むように心がけ、ある人たちの習慣に倣って集会を怠ったりせず、むしろ励まし合いましょう。かの日が近づいているのをあなたがたは知っているのですから、ますます励まし合おうではありませんか」（ヘブライ10:24～25）。この交わりを怠ると、神への愛や信仰に対する熱情を失ってしまうことが多いのです。

仲間と交わることをせず、落ち込んだ状態にあったある男性のところに、一人の年配のクリスチャンが訪ねてきました。二人は居間の暖炉の前に腰をおろしました。老人は何も言いませんでしたが、ふと立ち上がり暖炉に近づくと真っ赤になっている炭火を一つ拾い上げ、わきに置きました。老人はまだ何も言いませんでした。数分の内に、さっきまで真っ赤だった炭が、どんどんその輝きを失ってきました。そこで、老人はその炭を再び拾い上げ、また火の中に戻してやりました。するとすぐにまた燃え出したのです。老人が何も言わずに立ち上がり帰ろうとしたそのとき、その男性は、なぜ自分の熱情が失われてしまったか、その理由がはっきりと分かったのです。交わりをもたないクリスチャンは、燃えている火の外に出された炭火のようなものです。
マルティン・ルターは日記に書いています。「家にいるときには熱心さも気力もない。けれど教会に行って皆が一緒に集まると、炎が私の心の内に燃え上がり、すみずみまで燃え広がるのだ」。

キリストの体

ダマスコへ行く途中でイエスに出会ったときには、パウロはキリスト教会を迫害していたのです。イエスは彼にこう言いました。「サウル、サウル、なぜ**わたしを**迫害するのか」(使徒9:4、強調筆者)。パウロは、イエスに会ったことがなかったので、クリスチャンを迫害することはイエス自身を迫害することだ、とイエスが言っていることに気づいたに違いありません。また、おそらくパウロはイエスに出会うことにより、教会は、まさにキリストの体であると悟ったことでしょう。16世紀の宗教改革者カルヴァンは、「パウロは教会をキリストと呼んだ」と書いています。私たちクリスチャンは、この世の中に対してのキリストなのです。ちょうど古い賛美歌にも歌われている通りです。

主は今日働くために
　　私たちの手しかない
主の道に人びとを導くために
　　私たちの足しかない

どのようにご自分が死なれたかを
人びとに語るために
　　　私たちの口しかない
ご自分のもとに　人びとを導くために
　　　私たちの助けしかない

パウロは、この類似性をコリントの信徒への手紙一12章に発展させています。「体は一つである」（12節）の、「一つである」ということは、一様であるという意味ではありません。「手や耳がまったく異なった器官であるのと同様に、一人ひとりは多種多様です。聖徒たちが本当に素晴らしい多様性を持っているのに比べて、この世に生きる人が皆、変化がなく似ているのは、これが理由です。従順は自由への道、謙遜は喜びへの道、一致は個性への道なのです」（＊61）。

「多くの部分」があり、それらは皆「いろいろな賜物」「いろいろな働き」（4〜6節）により異なります。

では、キリストの体の他の部分に対して、私たちはどのように振る舞うべきなのでしょうか。

パウロは二つの間違った態度を挙げています。まずパウロは、自分は他の人より劣っていて、何も与えるものがないと感じている人に語りかけています。例えばパウロは、足が手より劣っていたり、耳が目より劣っていたりするだろうかと言っています（14〜19節）。他の人に対して妬みの感情を持ってしまう傾向が人間にはあるのです。

教会の中を見回して、自分は他より劣っているから必要とされていないと感じることは比較的容易です。その結果、何もしなくなってしまいます。しかし実際は、私たちは、だれもが皆必要とされているのです。神は賜物を「一人一人に」与えられました（7節）。「一人一人に」という言葉は、まるで一本の糸のようにコリントの信徒への手紙一12章全体を貫いています。私たち一人ひとりには、少なくとも一つの賜物があり、それはキリストの体を正常に機能させるために絶対になくてはならないものなのです。神が私たちに意図された役割をそれぞれが果たさない限り、教会は正しく機能することができません。この後の節で、パウロは、高慢な態度で「お前は必要ない」と言う人たち（21～25節）に向けて語っています。再び、パウロはこの態度の愚かさを指摘しています。片足のない体は、体が持つ本来の能力を発揮することは難しいでしょう（21節参照）。目には見えない器官が、目立つ部分にある器官よりも重要である場合が多いのです。

正しい態度とは、私たちは全員で一つの体を成していることを認める態度です。私たちは皆一つのチームの一部なのです。一つの部分が全体にも影響するのです。プラトン以来、「私」という言葉は、自分の体を一つのものとする人格のことです。「私の頭が痛む」と言う代わりに「私は頭が痛い」というのです。キリストの体でも同じです。「一つの部分が苦しめば、すべての部分が共に苦しみ、一つの部分が尊ばれれば、すべての部分が共に喜ぶのです」（26節）。

クリスチャンは皆、一人ひとりが教会の一部です。あるときジョン・ウィンバーは、一人の教会員に相談をもちかけられました。彼は、多くの助けを必要としている人に出会ったのです。日曜礼拝の後に彼は、助けが必要な人のために援助を求めているのに得られない失望感をジョン・ウィンバーに伝えたのです。「この人には泊まるところが必要だし、食べ物も必要です。自分でしっかり生活できるようにサポートする必要もありますし、仕事も探しています。教会事務局に電話したのですが、誰も私に会ってくれず、助けてくれなかったのです。私はすっかり失望しました。その人をこの一週間、私のところに泊めてあげなければならなかったんですよ！　教会がこのような人のめんどうをみるべきだと思いませんか？」ジョン・ウィンバーはしばらく考えてから言いました。「まさに**教会**がそれをしたように思えますけれど･･･」。

第８章で見たように、教会の問題は、何年もそれぞれの伝統に従って説教中心か典礼中心のどちらかになってしまっていることです。どちらの場合にも中心となる役割は、牧師や司祭によって担われてきました。マイケル・グリーンは、南アフリカでペンテコステ派の教会が目覚しい勢いで広がっていることに対して、次のようにコメントしています。「多くの理由がありますが、･･･最も大きな理由は、信徒たちが主な働きをする教会である、ということでしょう」（＊62）。

聖なる神殿

新約聖書が語っている唯一の教会の建物は、人びとによって構成された建物です。パウロは、クリスチャンたちは「キリストにおいて、･･･共に建てられ、霊の働きによって神の住まいとなるのです」（エフェソ2:22）と言っています。イエスが中心の礎石です。イエスが教会を始めた方であり、イエスを中心として教会は建てられるのです。教会の土台は「弟子と預言者たち」であり、その結果「生ける石」によって聖なる神殿が建て上げられるのです。

旧約時代、神殿の前身であった幕屋は、イスラエル人の礼拝の中心でした。人びとは神に会うために幕屋に来ていたのです。当時、神の栄光は神殿に、特に至聖所に満ちていました（列王記上8:11）。神の臨在に近づくことができる人は、ごく限られていました（ヘブライ9章参照）。

イエスが十字架上で私たちのために死んでくださったため、イエスを信じる者たちは、いつでも神の御前に行くことができるようになりました。神の臨在はもはや実際の神殿という建物にとどまらず、神の霊によって常に私たちと共にいてくださる存在となったのです。神の臨在は、特にクリスチャンが共に集まるときに感じられます（マタイ18:20）。神の新しい神殿は、「霊によって神が住まわれる」教会なのです。

カナダのリージェント・カレッジ、新約聖書学のゴードン・フィー教授は、次のように記しています。

> 「存在」とは、素晴らしい言葉です。なぜならこれは私たちに与えられた大変素晴らしい贈物を表しているからです。「存在」に代えられるものは何もありません。どんなプレゼントも、どんな人からの電話も、どんな写真も、どんな思い出の品も、何もこれに代わることはできないのです。生涯の愛する伴侶を失った人に、今、何がないのが一番寂しいかと尋ねれば、答えは必ずや「存在」でしょう。病気のとき、どんな優しい言葉よりも必要なのは、愛する人がそこにいてくれることです。何によって、共に生きる人生が、そんなにも楽しいものとなるのでしょうか。ゲーム、散歩、外出、無数の他のことですか？
> — 存在です（*63）。

神の「存在」は、アダムとエバがエデンの園で失ったものです。しかし、神は、神の臨在を再び回復させると約束されました。旧約聖書では、神の臨在は神殿の中にありました。神の栄光は、神殿に満ち溢れていたのです。だからこそ、イスラエルの人びとは、そこに行くことを切望したのです。「万軍の主よ、あなたのいますところはどれほど愛されていることでしょう」（詩編84:2）。追放が悲惨である理由の一つは、神の民が神の臨在から離れてしまうからです。神は、いつの日か神の存在をもっと広く知らせると約束されました。神の霊が溢れるように注がれたペンテコステの日に、神の臨在は、その民の間にいつもあるようになったのです。

パウロは一人ひとりのクリスチャンについて次のように言っています。「知らないのですか。あなたがたの体は、神からいただいた聖霊が宿ってくださる神殿であり、あなたがたはもはや自分自身のものではないのです」（Ｉコリント6:19）。しかし、パウロはさらに多くの場で、教会、すなわちクリスチャンたちの集まる共同体は、聖霊の宿られる神殿であると言っています。教会は、神が霊によって住まう場所なのです。

旧い契約（イエス以前の時代）では、御父に近づくためには「祭司」（ヘブライ4:14）を通す方法しかありませんでした。祭司は信者に代わっていけにえを献げました。今すでに、私たちの大祭司イエスは、私たちの代わりに、ご自分の命という最高のいけにえを献げたのです。イエスは「世の終わりにただ一度、御自身をいけにえとして献げて罪を取り去るために、現れてくださいました」（ヘブライ9:26）。私たちは自分の罪のために、これ以上いけにえを献げる必要はないのです。それよりもむしろ、神が私たちのために払ってくださった犠牲のことを常に心に留めておく必要があるのです。聖餐式 ― 主の晩餐、感謝の祭儀とも呼ばれますが、ここで私たちはイエスの犠牲を感謝をもって思い起こし、その恵みをいただくのです。

パンとぶどう酒をいただくとき、私たちは次に挙げる四つの方向に目を向けましょう。

感謝を持って「うしろ」を振り返ります

パンとぶどう酒は、十字架の上で引き裂かれたイエス・キリストの体と流された血を私たちに思い起こさせます。聖餐にあずかる（聖体を拝領する）ときには、私たちの罪がゆるされ罪悪感から解放され（マタイ26:26～28）るために、イエスが私たちのために死んでくださったことに感謝をもって、十字架のことを思い起こしましょう。

希望を持って「前」を見ます

イエスは私たちに、何か他の方法でご自分の死のことを思い起こさせることができたかもしれませんが、イエスは「食事」を残すことを選びました。食事は多くの場合、素晴らしいことを祝う方法でもあります。いつか天国で、私たちはイエスの「婚宴」で永遠に祝うのです（黙示録19:19）。パンとぶどう酒はこの祝宴の前味です（ルカ22:16、Ⅰコリント11:26）。

キリストの家族が集う「まわり」を見ます

一つの杯から飲み、一つのパンを食べることは、私たちがキリストにあって一つであることを象徴しています。「パンは一つだから、わたしたちは大勢でも一つの体です。皆が一つのパンを分けて食べるからです」（Ｉコリント10:17）。ですから、私たちはパンとぶどう酒を一人ではいただかないのです。このように共に食べたり飲んだりすることは、私たちの一致を思い起こさせるだけではなく、まわりの兄弟姉妹を見回しキリストがこの一人ひとりのために死なれたことを思い起こすので、そのときにその一致はさらに強められるはずです。

期待をもって「上」を見上げます

パンとぶどう酒はイエスの体と血をあらわします。イエスはご自分の死後も霊によって私たちと共にいる、特にクリスチャンが集まるところはどこでも、共にいると約束してくださいました。「二人または三人がわたしの名によって集まるところには、わたしもその中にいるのである」（マタイ18:20）。ですから、聖餐にあずかるとき、私たちは期待をもってイエスを見上げるのです。私たちの経験では、このような希望と期待に満ちたところでは、人びとは回心し、いやされ、圧倒的なキリストの臨在に触れられるということがしばしば起こります。

キリストの花嫁

これは新約聖書の中でも、教会を表す最も美しいたとえの一つでしょう。パウロは夫と妻の関係について話しているとき、次のように言っています。「この神秘は偉大です。わたしは、キリストと教会について述べているのです」（エフェソ5:32）。旧約聖書の中で神がイスラエルの夫として書かれている（イザヤ54:1～8）のと同じように、新約聖書の中ではキリストは教会の夫であるとパウロは語り、人間の夫婦関係の模範であると言っているのです。ですからパウロは、妻を愛するようにと夫たちに言っています。「夫たちよ、キリストが教会を愛し、教会のために御自分をお与えになったように、妻を愛しなさい。キリストがそうなさったのは、言葉を伴う水の洗いによって、教会を清めて聖なるものとし、しみやしわやそのたぐいのものは何一つない、聖なる、汚れのない、栄光に輝く教会を御自分の前に立たせるためでした」（エフェソ5:25～27）。

このような聖なる光り輝く教会の姿は、現在の教会の状態と必ずしも一致するとはかぎりません。しかし、ここにイエスが教会に何を意図しておられたか、かいま見ることができます。いつかイエスが栄光を帯びて再び来られる日がきます。黙示録の中で、ヨハネは教会の幻を見ます。「新しいエルサレムが、夫のために着飾った花嫁のように用意を整えて、神のもとを離れ、天から下ってくるのを見た」（黙示録21:2）。今日では、教会は小さく弱い存在です。いつの日か私たちは、イエスが望まれるような教会を見ることができるでしょう。それまでの間、私たちは新約聖書にある教会の姿に少しでも近づくことができるように、努力しなければなりません。

キリストの私たちへの愛に対する応答は、私たちのキリストへの愛であるべきです。キリストへの愛を表すために私たちができることは、聖なる清い生活を送り、キリストにふさわしい花嫁となり、キリストが私たちに持っておられる目的を果たすことです。私たちは、キリストの花嫁にふさわしくなるまで変えられ、美しくされていくのです。

そしてさらに、ご自分の教会に対するキリストの目的は、私たちが「暗闇の中から驚くべき光の中へと招き入れてくださった方の力ある業を、･･･広く伝える」（Ⅰペトロ2:9）ことです。素晴らしいキリストを宣べ伝えるには、礼拝と証しの両方が必要です。私たちの礼拝とは、心と思いと体、私たちの存在をもって神への愛と尊敬を表すことです。これこそ私たちが造られた目的なのです。ウエストミンスター小教理問答書（カテキズム）には「人のおもな目的は、神の栄光をあらわし、永遠に神を喜ぶことである」とあります。

私たちが証しをするのは、他の人を愛するからです。神は他の人びとに福音を知らせ、彼らを教会に導くため、神の素晴らしい御業をまわりの人びとに告げ知らせるために、私たちを召されたのです。ですから、私たちは礼拝、証し、そのどちらにおいても、永遠の真理を時代にあった形で表現する方法を見つけなければなりません。神は変わることはありません。福音も変わることはないのです。移りゆく時代の流行にただ合わせるために、教理や福音のメッセージを変えることはできません。しかし、礼拝の方法や福音の伝え方は、現代の人びとが共鳴する方法でなければなりません。多くの人びとにとって、これは今の時代に合った音楽を用いることや、今の時代の言葉で語ることを意味しています。

教会が新約聖書にある姿に近いものであれば、教会の日曜礼拝は、退屈なものからはかけ離れたものとなるはずです。実際、礼拝はとてもエキサイティングなものであるはずですし、事実そういう礼拝をしているところもあるのです。教会は神に属する人びとによって建てられ、彼らは、真ん中におられるキリストと家族として愛の内に結ばれています。彼らは、この世に対してキリストを代表し、花嫁が花婿を愛するように主を愛し、花嫁が花婿に愛されるように主に愛されているのです。何という素晴らしいところでしょう。そこは、地上において最も天国に近い場所に違いありません。

最近キリストを信じるようになった若い夫婦が、次のような手紙をくれました。

> 教会に来るようになって一年になりますが、もうすっかり我が家のように感じます。愛と友情とエキサイティングな雰囲気は、他では絶対に味わえません。ここで得る喜びは、どんなパブやパーティーやレストランで過ごす夜よりもはるかに素晴らしい。こんなことを言うようになるとは思いませんでした。(とはいえ、パブもパーティーもレストランも、まだまだ楽しんでいますが)。私たちは二人とも、日曜日の礼拝と水曜日の集会を、一週間の二つの「ハイライト」だと思っています。時には、空気を求めて来るような気分であったりします。特に水曜日ごろになると、仕事人生にどっぷり浸かってしまっていて、まさに溺れそうになっていることも多いですから！
>
> どちらか一つでも出られないときがあると、なんとなく「気の抜けた」状態になってしまうのです。もちろん皆と一緒でも、一人でも、神と会話をすることはできますが、皆で一緒に集うことが、私たちの信仰の炎を燃やし続けるために必要な風を送ってくれる送風機のように思えるのです。

15

人生を最高に生きるには？

人生は一度しかありません。もう一度あればと思うこともあります。D.H.ローレンスは「人生を二度生きることができたなら。最初の人生は間違いをしても･･･二度目の人生はその間違いを生かすことができるのに」と言いました。しかし、人生にリハーサルはありません。すぐにステージに立つのです。

たとえ、過去に間違いをしたとしても、神の助けにより残りの人生を最高に生きることはできるのです。ローマの信徒への手紙12章1～2節で、パウロはどのようにそれができるかを記しています。

> こういうわけで、兄弟たち、神の憐れみによってあなたがたに勧めます。自分の体を神に喜ばれる聖なる生けるいけにえとして献げなさい。これこそ、あなたがたのなすべき礼拝です。あなたがたはこの世に倣ってはなりません。むしろ、心を新たにして自分を変えていただき、何が神の御心であるか、何が善いことで、神に喜ばれ、また完全なことであるかをわきまえるようになりなさい。

何をすればよいのでしょうか

過去との決別

クリスチャンとして、私たちは周囲の世界とは異なる者となるよう召されています。パウロは「この世に倣ってはなりません」と書いています。この世とは、神を締め出した世界を意味しています。J.B.フィリップス訳の聖書では、この節は「あなたを取り囲むこの世の人びとが、よってたかって無理やりに、あなたをこの世の型にはめようとしても、決してそれに屈してはいけません」とあります。それは簡単なことではありません。他の人と合わせ、人と同じようにさせようとする圧力が存在するからです。人と異なる存在であることは、非常に難しいことなのです。

ある若い警察官が、ロンドン北部のヘンドン警察学校で最終試験を受けていました。これは試験問題の一部です。

> 貴官がロンドン郊外をパトロール中、付近の道路でガス管が爆発した。調査のため貴官は現場に直行すると、歩道に大きな穴があき、付近に横転したワゴン車を発見。車内には強いアルコール臭が充満、車の中にいた男性と女性は負傷している模様。そのとき貴官は、その女性が、現在米国滞在中の貴官の管轄署の警部夫人であることが分かる。通りがかりの乗用車の運転手が車を停め、手を貸そうと申し出たが、この男性は指名手配中の強盗犯であることが分かる。突然、一人の男性が近くの家から飛び出してきて、妊娠中の妻が爆発のショックで陣痛が始まったと叫んでいる。爆発のときに隣接した運河に吹き飛ばされた男性が、助けを求めて叫んでいる。
>
> この状況下で貴官が取るべき行動を、精神衛生学の条項を考慮に入れつつ簡潔に述べよ。

若い警察官は少し考えてからペンを取り、書き始めました。「制服を脱ぎ、群集に紛れ込みます」。

同情したくなる答えです。私たちもクリスチャンという制服を脱いで「群集に紛れ込む」方がずっと楽な場合がしばしばあります。しかし私たちは、そこがどこであっても、どんな状況にいようとも、他とは異なる存在であること、クリスチャンとしてのアイデンティティを持ち続けることを求められています。

クリスチャンは、「カメレオン」ではなく「サナギ」であることを求められているのです。「サナギ」は美しい蝶へと変化する蝶の幼虫です。「カメレオン」は緑、黄色、クリーム色、茶色へと自由自在に色を変化させることのできるトカゲです。体の色を変化させるのは、背景に自分を同化させるためだと一般には言われています。同じようにカメレオン・クリスチャンは、周囲の人に同化してしまいます。他のクリスチャンと一緒にいるときにはクリスチャンであることを喜び、クリスチャンのいないところでは自分の行動基準を変えてしまいます。カメレオンを使った実験の風刺漫画があるそうです。カメレオンをタータン・チェックの上に置いておくと、そのストレスに耐えられず、ついに破裂してしまったというのです！　クリスチャンも同様です。カメレオン・クリスチャンは耐えがたいストレスを経験することになり、サナギ・クリスチャンのようには自分の可能性を開花させることができません。

クリスチャンは、周りの状況に合わせるのではなく、むしろ異なる存在になるよう召されているのです。異なる存在であるということは、奇異な存在であるという意味ではありません。奇抜な服を着たり、奇妙な宗教用語を話すことを要求されているのではありません。私たちは普通でいいのです！　キリスト教を信じるには、普通であってはいけないと感じる人がいますが、これはまったくナンセンスです。実に、イエスを通しての神との関係は、私たちの人格をよりイエスに似た完全なものへと近づけてくれるのです。イエスに似れば似るほど、より「普通」になるのです。それは、より人間らしくなるということでもあります。

キリストに従うとき、私たちは自分を傷つけ、人をも傷つける原因となっていた悪い生活習慣や行動を脱ぎ捨てることができます。例えば、これはもはや陰で思いのままに人を中傷などしてはならないという意味です。

愚痴や不平不満を言うことに時間を浪費する必要はないという意味です（私たちが以前はそのようであったとしても）。性に関する倫理面でも、この世の基準に順応しないですむように解放されているという意味です。この全てが否定的な印象を与えるかもしれませんが、そうではありません。陰口を言うよりも、人を勇気づけ励ます人になり、愛ゆえにその人を常に建て上げる人になるのです。愚痴や不平不満を言うよりも、いつも感謝と喜びに溢れる人になるのです。性的な悪癖にふけるよりも、神の規範を保つことによってもたらされる祝福を示していくことです。

クリスチャンは他とは異なる存在であるように望まれていますが、多くの人がそれを難しいと感じています。キリスト教の信仰について話をしてきた私の経験から言うと、いつも繰り返し問題となることが一つあります。性的倫理全般に関する問題です。よく訊かれる質問は、「結婚外のセックスについてはどうですか。間違っているのですか。聖書のどこに書いてありますか。なぜ、間違っているのですか」というものです。

ここにある神の規範は、他の場合と同様にはるかに優れたものです。神が「結婚」も「性」も創造されました。神は私たちを見下して「なんてことだ。次には一体何をしでかすか分かったものではない」などと驚いて言われる方ではありません。C.S.ルイスは、楽しみは神の考えられたことで、悪魔の考えたことではないと指摘しています。聖書も私たちの性を肯定しています。神は私たちを性的存在として造られ、私たちの楽しみのために性的器官を備えてくださいました。聖書は性的な親密さを祝福しています。雅歌の中には、性の喜びや満足そして幸福感が溢れています。

性を創造された方は、どのようにすればそれを最高に楽しめるかも私たちに教えてくださっています。聖書における性交渉とは、男と女の間になされる結婚という生涯の誓いに基づくものです。これに関するキリスト教の教えは、創世記2章24節に述べられていて、マルコによる福音書10章7節ではイエスがそれを引用しています。「それゆえ、人は父母を離れてその妻と結ばれ二人は一体となる」。結婚とは、父母を離れ生涯にわたってお互いにささげあうという社会的行動を伴います。結婚は、パートナーと「一体になる」ことを含むのですが、ヘブライ語では「一体となる」という言葉は、文字通り「のりで貼りつけられる」という意味で、身体的、生物学的にだけではなく、感情的にも心理的にも霊的にも社会的にも一つになるということなのです。これが、クリスチャンの「二人は一体となる」という結びつきなのです。聖書の結婚に関する教えは、わくわくするような積極的な考え方です。これが私たちの前に置かれた神の完全なご計画なのです。

神は、ご自分がお定めになった境界を越えることの危険を警告しておられます。「カジュアル・セックス」などというものはありません。どのような性的関係であっても、その都度「一つの体となる」のです（Ⅰコリント6:13～20）。一度一つになったものが引き離されるときには傷つきます。二枚の厚紙をのりで貼りつけたとしましょう。それをはがすとき、破ける音がします。ちぎれた切れ端が両方の紙にくっついてしまいます。同じように、一つの体になった者が引き離されるとき、傷跡が残るのです。壊れた関係の中に、私たちのちぎれた切れ端を残してしまうのです。神の規範が無視されたときに、これらのことが私たちの周りでよく起こります。壊れた結婚、傷ついた心、傷ついた子どもたち、性的病気、人生をめちゃくちゃにしてしまった人びと。一方、神の規範が守られている多くのクリスチャンの結婚生活には、性、結婚すべてにおいて神が与えようと意図された祝福を見ることができます。もちろん、決して遅すぎることはありません。イエスを通して神の愛がゆるしをもたらし、傷をいやし、引き裂かれた人生を完全な状態に修復してくださるのです。けれども、そのような対応策を必要とするような状況は、避けることができれば避けるほうがはるかに良いのです。

ですから、この世が無理やり私たちをこの世の型にはめようとしても、それに屈せず、はるかに良いものをこの世に示しましょう。

新しいスタートをきる

パウロは、私たちは「変えていただく」(ローマ12:2)必要があると言っています。いいかえれば、私たちは美しい蝶に生まれ変わるサナギのようなものです。多くの人は人生に変化が起こることを恐れています。二匹の青虫が葉っぱの上に座って、蝶が飛んでいるのを見ていました。一匹の青虫がもう一匹に言いました。「ぼくはあの蝶みたいになって高く飛んでいくなんて、絶対しないからね！」これが、慣れ親しんだ世界を後にして前進することへの恐れです。

神は、良いものを捨てるようにとは言っておられません。「ゴミ」を捨てるように、と言われたのです。ゴミを捨てるまでは、神が私たちのために備えてくださっている素晴らしいものを、私たちは楽しむことができません。路上生活をしていた一人の女性が私たちの教会のそばでウロウロしていました。道行く人にお金を求め、断られると攻撃的な態度を取っていました。もう何年もの間、たくさんのビニール袋を持って通りを歩いていました。彼女が死んだときには、私がその葬式を担当することになりました。葬儀にはだれも来ないだろうと思っていたのですが、実際は身なりのよい数名の人が来ていたのです。この女性が莫大な財産を相続していたことが後で分かりました。彼女は豪奢なマンションを持っていて、そこには高価な絵画もたくさんありました。しかし彼女はゴミのたくさん入ったビニール袋を持って路上で生きることを選んだのでした。彼女は自分の生活習慣を変えることができず、相続財産を一度も楽しむことはありませんでした。

クリスチャンとして、私たちはずっと多くのもの — キリストにあるすべての富 — を相続しているのです。これらの宝を楽しむためには、人生のゴミを捨てなければなりません。パウロは「悪を憎み」（9節）なさいと言っています。これこそ、私たちが捨て去るべきものなのです。

それに続く節（ローマ12:9～21）では、楽しむことのできる宝の一端をかいま見ることができます。

> 愛には偽りがあってはなりません。悪を憎み、善から離れず、兄弟愛をもって互いに愛し、尊敬をもって互いに相手を優れた者と思いなさい。怠らず励み、霊に燃えて、主に仕えなさい。希望をもって喜び、苦難を耐え忍び、たゆまず祈りなさい。聖なる者たちの貧しさを自分のものとして彼らを助け、旅人をもてなすよう努めなさい。あなたがたを迫害する者のために祝福を祈りなさい。祝福を祈るのであって、呪ってはなりません。喜ぶ人と共に喜び、泣

く人と共に泣きなさい。互いに思いを一つにし、高ぶらず、身分の低い人びとと交わりなさい。自分を賢い者とうぬぼれてはなりません。だれに対しても悪に悪を返さず、すべての人の前で善を行うように心がけなさい。できれば、せめてあなたがたは、すべての人と平和に暮らしなさい。愛する人たち、自分で復讐せず、神の怒りに任せなさい。「『復讐はわたしのすること、わたしが報復する』と主は言われる」と書いてあります。「あなたの敵が飢えていたら食べさせ、渇いていたら飲ませよ。そうすれば、燃える炭火を彼の頭に積むことになる。」悪に負けることなく、善をもって悪に勝ちなさい。

ギリシヤ語でいう「誠実」という言葉は、「偽りがない」という意味、文字通りには「戯れではない」「仮面をかぶってはいない」という意味です。しばしば、この世の人間関係は表面的なもので、私たちは皆、自分を守るために外面（そとずら）を良くします。確かに私もクリスチャンになる前はそうでした（クリスチャンになった後には、そうすべきではなかったのですが、しばらくの間はついそうしてしまったものです）。実際、私は「本当の自分があまり好きではない。だから自分とは違う人のように振る舞っているのだ」と言っていたのです。

もし他の人びとも同じようにしているとしたら、二人の「外面（そとずら）」もしくは「仮面」どうしの出会いになります。本当の人間が出会うことはないのです。これは「偽りのない愛」とはまったく正反対のものです。偽りのない愛とは、私たちが仮面をはずし、あえて本当の自分を明らかにするという意味です。ありのままの自分が神に愛されていることを知るときに、私たちは自由になり、仮面を取ることができるのです。そうすると、人間関係の中にまったく新しい深みが生まれてくるのです。

時々、熱心な人を皮肉な目で見る人びとがいますが、熱心になることは何も悪いことではありません。神との関係を体験すると「霊に燃え」(11節)、喜び、興奮します。キリストに初めて出会う体験は、持続するはずであり、消えてしまうものではありません。パウロは「怠らず励み、霊に燃えて、主に仕えなさい」と言っています。クリスチャンとして年月を経るほどに、私たちは、ますます熱心な者になってくるはずなのです。

クリスチャンは他の人と調和を保ち、寛容であり(13節)、客をもてなし(13節)、人をゆるし(14節)、いたわり合い(15節)、すべての人と平和に暮らす(18節)ようにと、パウロは強く勧めています。これこそ神が私たちに望んでおられるクリスチャン・ファミリーの素晴らしい姿です。神は、愛、喜び、忍耐、誠実、寛容、もてなし、祝福、調和、謙遜、平和の雰囲気へと私たちを招いておられるのです。そこでは、善が悪に打ち負かされることはなく、悪が善によって消滅されてしまうのです。私たちがゴミを捨て去るとき、このような宝が私たちを待っているのです。

具体的にはどうすればよいのでしょうか

「自分の体を･･･献げなさい」

自分の体を献げるためには、意志に基づいた行動が必要です。パウロは、神が私たちのためにしてくださったすべてのことのゆえに、私たちの体を神に喜ばれる生けるいけにえとして献げなさいと言っています(ローマ

12:1）。神は私たちに、自分自身と人生をすべて献げることを望んでおられます。

第一に、自分の時間を献げます。私たちの時間は最も貴重なもので、それをすべて神に献げる必要があるのです。これは、すべての時間を祈りや聖書の学びに費やすという意味ではありません。生活の中に神の優先順位を築き上げなさいという意味です。

優先順位を間違えてしまうことがよくあります。新聞にこのような広告が載っていました。「当方農場経営者。トラクターを持っている女性求む。友人関係、あるいは結婚希望。トラクターの写真を同封してください」。この農民は、優先順位を取り違えているようです。私たちの優先順位の一番上にくるものは、私たちの様々な「関係」であり、その中でも最も大切なものは、私たちと神との関係です。神と二人きりで過ごす時間が必要です。また、他のクリスチャンと過ごす時間もとる必要があります。日曜日、そして週の半ばにもう一回、皆が集い、お互いに励ましあう時を持つとよいでしょう。

第二に、「主よ、あなたを信頼して私の人生の願望をあなたにお委ねします」と言って、主に自分の願望を献げる必要があります。第一の願望として神の国と神の義を求めるようにと、神は私たちに望んでおられます。そうすれば、他のすべての必要は満たされると約束してくださっています（マタイ6:33）。これは必ずしも、私たちの今までの願望が消えてしまうという意味ではありません。私たちに対するキリストの願いが第一となり、自分自身の望みが二次的なものになるという意味なのです。すべてにおいて、神の国と神の義を求める動機から、自分の持っているものを神の栄光を表すために使うなら、仕事で成功するように願うこと自体は決して悪いことではありません。
第三に、私たちの持ち物やお金を神に献げる必要があります。新約聖書の中には、個人が物を所有したり、金儲けをしたり、貯金をしたり、また人生で良い物を楽しむことを禁じる掟はありません。禁じられていることは、自己中心的に蓄えることであり、物質的なものへの不健全な執着であり、金銭などの富に信頼することなのです。安定を約束しているものは、結果的には永遠の不安定さを招き、さらには私たちを神から引き離してしまうのです（マタイ7:9～24）。寛容に与えることは、神の寛容さに対する応答であり、周囲の人びとの必要に応えることなのです。これはまた、私たちの生活の中にある物質主義の壁を破る最善の方法です。
次に、私たちは神に自分の耳を献げる必要があります。つまり、私たちが何に耳を傾けるかの問題です。中傷や陰口やうわさなど、自分自身や他の人たちを傷つけるような話には、耳を傾けるのをやめる覚悟をするということです。その代わりに、聖書や祈り、信仰の本やテープなどを通して、神が私たちに語っておられることに耳を傾ける必要があります。私たちは自分の目も、見るものも、神に献げます。嫉妬や肉欲や他の罪などを通して、私たちが見るものは私たちを傷つけることがあります。一方、私たちを神にもっと近づくように導いてくれるものを見ることもできます。会う人を批判するよりも、神の目を通して彼らを見て、「この人のために、私はどのように祝福となれるか」と問うべきなのです。
そして、私たちは自分の口も献げる必要があります。使徒ヤコブは、舌がたいへん力強い器官であることを思い起こさせてくれます（ヤコブ3:1～12）。私たちは舌を使って破壊したり、だましたり、呪ったり、陰口を言ったり、自分に注目させたりすることがありえます。しかしこの同じ舌を使って、神を賛美したり、他の人を勇気づけたりすることもできるのです。さらには、この手をも神に献げます。私たちはこの手を、自分が何かを得るために使うこともできれば、奉仕という実際の行為を通して人に与えるために用いることもできるのです。最後に、私たちの性も神に献げます。自分自身の満足のためにこの性を用いることもできれば、結婚相手との素晴らしい喜びのためにそれをとっておくこともできるのです。

選り好みはできません。パウロは「自分の体を…献げなさい」と言っているのです。これは、私たちのすべての部分を献げなさいということです。驚くべきパラドックスは、神にすべてを献げると、自由を得ることができるのです。自分自身のために生きることは、奴隷のような状態です。しかし、祈祷書に書かれているように「主に仕えることは、完全な自由をもたらす」のです。

「生けるいけにえとして」

これらすべてを実行するには、覚悟が必要です。犠牲を伴うかもしれません。解説者のウィリアム・バークレーは「イエスは人生を簡単にするために来られたのではなく、人間を素晴らしいものにするために来られたのだ」と言っています。私たちは、自分のやり方ではなく神の方法で生きていく心構えをしなくてはなりません。私たちの生活の中で間違っていると分かっているすべてのことを喜んであきらめ、修正が必要なところは修正し、キリスト教に対して敵意を持っているかもしれないこの世の中で、喜んで主の旗を高く掲げなければならないのです。
世界の各地で、実際にクリスチャンたちが迫害にあっています。20世紀は、歴史上どの時代よりも多くのクリスチャンが信仰のゆえに殉教しました。投獄されて拷問を受けているクリスチャンもいます。この自由主義国にいる私たちは、クリスチャンが迫害されない社会に住む特権を与えられているのです。私たちが受ける批判や冷笑は、初代教会や今日迫害を受けている教会の苦難に比べると、取るに足らないものです。
とは言うものの、信仰を貫こうとするときには、犠牲を伴うこともあるでしょう。例えば、クリスチャンになったときに、両親の遺産相続人となる資格を剥奪されたという友人がいます。また、長い間所得税を正直に申告していなかった若い夫婦が、クリスチャンとしてそのことを税務署に知らせるべきと感じて、きちんとしたために、自分たちの家を売らなければならなくなったケースも知っています。
また、素晴らしい友人がいます。彼は、クリスチャンになる前、ガールフレンドと肉体関係にありました。キリスト教の信仰をよく考えたとき、キリストに信仰をおくのなら、ガールフレンドとの関係を変えなくてはならないことに気づきました。そのことで何ヶ月も苦闘しました。やがて、彼もガールフレンドもクリスチャンになり、そのときから彼らは肉体関係を持つことをやめました。様々な理由があったため、二人は結婚するのに、それから２年半も待たなければなりませんでした。彼らはそれを犠牲とは受け取りませんでしたが、そこにも犠牲が伴ったのです。神は彼らを豊かに祝福し、二人はとても幸せな結婚をして、今では素晴らしい四人の子どもがいます。しかし、当時二人の信仰の決断には、大きな犠牲が伴ったのです。

なぜ、そうすべきなのでしょうか

私たちの将来のための神のご計画

神は私たちを愛しておられ、私たちの人生に最善を願っておられます。神は、「何が神の御心であるか、何が善いことで、神に喜ばれ、また完全なことであるかをわきまえるように」(ローマ12:2)、私たちが信じて、神に人生を委ねることを望んでおられます。

悪魔のおもな働きは、人びとに間違った神の概念を植えつけることではないかと私は時々思います。ヘブライ語での「悪魔」という言葉は、「中傷する者」という意味です。悪魔は、神は信頼するに値しないと私たちに言い、神を中傷します。悪魔は、神は楽しみを台無しにする存在で、私たちの人生を滅ぼしたいのだと言うのです。

多くの場合、私たちはこの嘘を信じてしまいがちです。信頼して神に人生を委ねると、神は私たちの人生の楽しみを奪ってしまうのではないかと思うのです。では、ここで少し人間の親のことを考えてみましょう。息子の一人が私のところにやってきて「パパ、今日一日、僕はパパがして欲しいと思うことを何でもするよ」と言ったとします。もちろん、私は「分かった。その言葉をずっと待っていたんだ。じゃあ、押入れに一日閉じ込めるから、そこで一日過ごしなさい」とは、言いません。

神が人間の親より私たちにひどい接し方をするなど、考えるだけでも愚かしいことです。神は人間のどんな親よりも私たちを愛してくださっているのです。そして、私たちの人生に最善を望んでおられるのです。神の御心は私たちにとって「良い」ものなのです。良い親と同じように、神は私たちのために最善を願っておられます。それは喜ばしいものです。神を喜ばせ、長い目で見れば私たちをも喜ばせてくれます。それは完全です。それ以上良くすることはできないほど、完全なのです。

しかし悲しいことに、人間はそれをさらに良くできるのではないかと考えてしまいます。「自分でやれば、神様よりもう少しうまくできるんじゃないか。神様は最近の事情をご存知ないようだし。この現代社会のことや私たちが楽しむ物事についてはご存知ないかもしれない。自分のやり方で生活し、神様にはちょっと黙っていていただこう」と思ったりするのです。しかし、私たちは神よりもうまくやることなど決してできません。結局ひどい状態に陥ってしまうのです。

ある日息子の一人が、ローマ時代の奴隷市場の広告を作るという宿題を持って帰ってきました。それは学校の課題で、週末中それにかかりっきりでした。絵や文字を書き終えた後、彼はそれが2000年前のもののように見せたいと思いました。そうするためには、紙を茶色になるまで火にあぶって、古ぼけた感じにするのだと教わってきました。9歳の男の子にとって、火の上に紙をかざすのは難しいことでした。そこで妻のピッパが何度か手伝おうと申し出たのですが、彼は断りました。どうしても自分でやりたいと言ったのです。その結果、せっかく作った広告は黒焦げになってしまいました。彼はいらいらし、プライドは傷つき、涙が出てきました。

自分の人生を自分で生きるのだと主張する人がいます。助けを求めず、神を信頼せず、その結果、しばしば涙を流すことになります。しかし、神は私たちにもう一度チャンスを与えてくださるのです。私の息子は、ポスターをもう一度作り、今度はピッパを信頼して火を使う微妙な作業をピッパに頼みました。神を信頼して人生を委ねるとき、神は御心が何かを示してくださいます。善そのものの、喜ばしい、完全な御心を神は示してくださるのです。

神が私たちのためにしてくださったこと

神が私たちに望む小さな犠牲は、神が私たちのために払ってくださった犠牲に比べると何でもありません。19世紀の英国のクリケットのチャンピオンC.T.スタッドは、その富と安楽な生活（クリケットさえも）を、中国本土で神に仕えるために捨てました。彼はかつてこう言ったことがあります。「もしイエス・キリストが神であり、私のために死んでくださったのなら、イエスのために何をすることも、私は困難とは思わない」。C.T.スタッドは、イエスだけを見つめていたのです。

ヘブライ人への手紙の筆者は、次のように私たちに強く勧めています。「こういうわけで、わたしたちもまた、このようにおびただしい証人の群れに囲まれている以上、すべての重荷や絡みつく罪をかなぐり捨てて、自分に定められている競走を忍耐強く走り抜こうではありませんか、信仰の創始者また完成者であるイエスを見つめながら。このイエスは、御自身の前にある喜びを捨て、恥をもいとわないで十字架の死を耐え忍び、神の玉座の右にお座りになったのです」（ヘブライ12:1〜2）。

「十字架の死を耐え忍」ばれた神の独り子イエスを見つめるとき、私たちは、神が私たちをどれほど愛しておられるかを知ることができます。神を信頼しないことなど考えられません。それほどまでに私たちを愛してくださっているなら、神は決して私たちから良いものを奪うことなどありません。パウロは、「わたしたちすべてのために、その御子をさえ惜しまず死に渡された方は、御子と一緒にすべてのものをわたしたちに賜らないはずがありましょうか」（ローマ8:32）と書いています。私たちがクリスチャンとしての生き方をしていく動機は、御父への愛です。私たちの人生のお手本は、御子イエスです。私たちがこのように人生を生きることができるのは、聖霊の力によるのです。

神は、なんと偉大な方でしょう！　そして、生きている限り、神との関係の内に歩み、神に愛され、神に仕えることは、なんという特権でしょう！　これこそ、最も報いの多い、豊かな、意味のある、そして満足のいく最高の生き方です。本当に、ここにこそ、人生の数々の大きな疑問に対する答えを見出すことができるのです。

脚注

1.Ronald Brown (ed), Bishop's Brew (Arthur James Ltd, 1989).

2.バーナード・レビン氏のご好意により引用。

3.同上文献。

4.C.S. Lewis, *Timeless at Heart*, Christian Apologetics (Fount).

5.C.S. Lewis, *Surprised by Joy* (Fontana, 1955),
C.S.ルイス『喜びのおとずれ』（富山房）

6.John Martyn, *Church of England Newspaper*, 2nd November 1990.

7.Josephus, Antiquities, XVIII 63f.
原本は原形が損なわれているという説もあるが、それでもなおヨセフスの証拠は、イエスが歴史上実在したということを証明するものである。

8.F.J.A. Hort, *The New Testament in the Original Greek*, Vol. I, page 561 (New York; Macmillan Co).

9.Sir Frederic Kenyon, The Bible and Archaeology (Harper and Row,1940).

10.福音の史的典拠に関する参考文献

R.T. France,*The Evidence for Jesus from The Jesus Library* (Hodder & Stoughton, 1986) or
N.T. Wright*Jesus and the Victory of God* (SPCK, 1996).

11.C.S. Lewis, Mere Christianity (Fount, 1952).
C.S.ルイス『キリスト教の精髄』（新教出版社）
C.S.ルイス『キリスト教の世界』（大明堂）

12.同上文献

13.Bernard Ramm, *Protestant Christian Evidence* (Moody Press).

14.バーナード・レビン氏のご好意により引用。

15.Lord Hailsham, *The Door Wherein I Went* (Fount/Collins, 1975).

16.Wilbur Smith, *The Incomparable Book* (Beacon Publications, 1961).

17.Josh McDowell, *The Resurrection Factor* (Here's Life Publishers).

18.Michael Green, *Evangelism through the Local Church* (Hodder & Stoughton, 1990).

19.Michael Green, *Man Alive*(Inter Varsity Press, 1968).

20.C.S. Lewis, *Surprised by Joy*(Fontana, 1955).
C.S.ルイス『喜びのおとずれ』（富山房）

21.Cat.rud.I, 8, 4; PL 40, 319.

22.Father Raniero Cantalamessa, *Life in the Lordship of Christ* (Sheed &Ward, 1989).

23.Bishop J.C. Ryle, *Expository Thoughts on the Gospel*, Vol. III, John 1:1~John 10:30 (Evangelical Press, 1977).

24. *The Journal of the Lawyers' Christian Fellowship*

25.John Stott, *The Cross of Christ* (IVP, 1996).
Catechism of the Catholic Church, Chapter 2, line 444, paragraph 615
『カトリック教会のカテキズム』（カトリック中央協議会、2002）第2章　615
イエスはわたしたちの不従順に代わって従順となられた
「一人の人の不従順によって多くの人が罪びととされたように、一人の従順によって多くの人が正しい者とされるのです」（ローマ5:19）。
イエスは、その死に至るまで従うことにより、多くの罪を担い、多くの人が正しいものとされるために彼らの罪を自ら負い、自分のいのちを**償いのいけにえ**としてささげる苦しむしもべの役をまっとうされました。イエスはわたしたちの過ちの償いを果たし、わたしたちの罪のゆえに自ら御父に償いをささげられました。

26.Bishop Michael Marshall, Church of England Newspaper, 9th August 1991.

27.私たちは（もちろん）すべての宗教的概念について比喩やたとえ話を用いて論じる必要がある。しかし、この贖いを表現するのに一つの比喩やたとえ話で適切に、全てを包含できるというようなものはない。どれも近いものであっても、核心に触れるものではなく、まるで円を中心として描かれる、半径の集合のようなものである。

28. John Wimber, Equipping the Saints Vol. 2, No. 2, Spring 1988 (Vineyard Ministries Int.).

29.Leslie Newbigin, Foolishness to the Greeks (SPCK, 1995).

30. C.S. Lewis, The Last Battle (Harper Collins, 1956).
C.S.ルイス『さいごの戦い』（岩波書店）

31. John W. Wenham, Christ and the Bible (Tyndale: USA, 1972).

32.John Pollock, Billy Graham;　*the Authorised Biography* (Hodder & Stoughton, 1966).

33. Bishop Stephen Neill, The Supremacy of Jesus (Hodder & Stoughton, 1984).

34.Family Magazine.

35.John Stott, Christian Counter-Culture (Inter Varsity Press, 1978).

36.John Stott, Christian Counter-Culture (Inter Varsity Press, 1978)の中で引用。

37. J.I. Packer, Knowing God (Hodder & Stoughton, 1973).

38.「聖徒　(Saints)」は、すべてのクリスチャンを指す新約聖書的な表現（例：フィリピ1:1）。

39.Michael Bourdeaux, Risen Indeed (Darton, Longman & Todd, 1983).

40. John Eddison, A Study in Spiritual Power (Highland, 1982).

41.同上文献

42.F.W. Bourne, Billy Bray; The King's Son (Epworth Press, 1937).

43.J. Hopkins & H. Richardson (eds.), Anselm of Canterbury, Proslogion Vol.I (SCM Press, 1974).

44.Malcolm Muggeridge, Conversion (Collins, 1988).

45.Richard Wurmbrand, In God's Underground (Hodder & Stoughton).

46.Eddie Gibbs, I Believe in Church Growth (Hodder & Stoughton).

47.David Watson, One in the Spirit (Hodder & Stoughton).

48.Murray Watts, Rolling in the Aisles (Monarch Publications, 1987).

49.近年、この聖霊の体験を「バプテスマ」、「満たし」、「解放」、「力を得る」、或いは別な表現を用いるべきか、様々な論議がされている。この問題について今までに述べられたこと、書物になったものすべてに関して、新約聖書から見ても、どの表現が適切なものかはっきりしているとは私は思わない。しかし、私たちの人生において、聖霊の力を体験することが必要であることは明らかである。私自身は、「聖霊の満たし」という表現が新約聖書に最も忠実ではないかと思うので、この章でもこの表現を用いた。

50.Martyn Lloyd-Jones, Romans, Vol.VIII (Banner of Truth, 1974).

51.Wimber & Springer (eds), Riding the Third Wave (Marshal Pickering).

52.Alan MacDonald, Films in Close Up (Frameworks, 1991).

53.Michael Green, I Believe in Satan's Downfall (Hodder & Stoughton, 1981).

54.Jean-Baptiste Vianney.

55.C.S. Lewis, The Screwtape Letters (Fount, 1942).
C.S.ルイス『悪魔の手紙』（新教出版社）

56.Michael Green, I Believe in Satan's Downfall (Hodder & Stoughton, 1981).

57.C.S. Lewis, The Great Divorce (Fount, 1973).

58.J.C. Pollock, Hudson Taylor and Maria (Hodder & Stoughton, 1962).

59.Irenaeus, Against Heresies, II Ch XXXII.

60.David Watson, I Believe in the Church (Hodder & Stoughton, 1962).

61.C.S. Lewis, Fern Seeds and Elephants (Fontana, 1975).

62.Michael Green, Called to Serve (Hodder & Stoughton, 1964). With thanks to Curtis Brown Agency.

63.Gordon Fee, Paul, The Spirit and the People of God (Hodder & Stoughton, 1997).

スタディ・ガイド

ディビィッド・ストーン 著

皆様がニッキー・ガンベルが書いた本書の核心に近づき、学んだことを実生活に適用するために、ディビッド・ストーン博士が手引きとなるスタディ・ガイドを書いてくださいました。この質問は、個人でも使えますし、スモール・グループでのディスカッションでも使えます。ご活用ください。

1．キリスト教とは？

1. 今日の人びとは、なぜ、キリスト教が退屈で、偽りで、自分とは無関係なものだと考える傾向があるのでしょうか（p.9）？

2. この一般的な意見についてどの程度共感しますか？それは、なぜですか？ どのようなことで、あなたの考えが変わると思いますか？

3. ニッキー・ガンベルは、人間の「**何かが欠けている**」（p.11）という思いを、どのように説明していますか？ あなたは、このような思いを持ったことがありますか？

4. **「イエス・キリストを通して神との関係を持つことのない人生は、アンテナのないテレビのようだ」**（p.15）という意見をどう思いますか？ それは、なぜですか？

5. ニッキーがここで述べている、キリスト教に対する批判的な反応には、どのようなものがありますか（p.15）？これらの批判にはどのように答えるのがよいのでしょうか？

6. ニッキーは、知的に真理を理解するのと、体験するのとでは違うと、はっきりと違いを示しています（p.17）。なぜ、キリスト教を考える上で、このことが大切なのでしょうか？

7. 自分自身（私たちの思い、言葉、行動、動機）を正直に見るなら、私たちの中で、何人が**良い**人でしょうか（p.18）？

8. 「**永遠の命**」とは、何を意味しますか（p.20）？ 今、永遠の命を生き始めることができますか？ それはどのようにですか？

2. イエスとは？

1. クリスチャンになるには「**盲目的に信じる**」ことが伴うからよい考えではない…と言う人に、あなたは何と答えますか（p.22）？

2. 新約聖書にあるイエスについての証拠がどのように「**大変力強い**」のですか（p.23）？ それはどの程度、納得いくものですか？ なぜですか？

3. ビリー・コノリーの言った「**キリスト教は信じられないけれど、イエスは素晴らしい人だったと思うよ**」（p.26）という言葉を、あなたはどう思いますか？

4. イエスが「『**わたしは神である**』**と言ってまわりはしませんでした**」（p.27）ということを考慮に入れて、イエスの神性にどのような証拠がありますか？

5. イエスが神の独り子であるという直接的、また間接的な主張を、どのように検証できますか（p.29）？

6. なぜ、イエス・キリストの肉体の復活が「**キリスト教の土台**」（p.39）なのですか？ イエスの復活に関して、どのような証拠がありますか？

7. イエスが誰であるかという「**たった三つの現実的な可能性**」（p.44）は何ですか？ その内のどれが正しいと思いますか？ それは、なぜですか？

8. もしイエスが神の子であるのなら、それはあなたにとってどのような意味を持ちますか？

3. イエスの死とは？

1. **「人びとが直面する最も大きな問題」**(p.46) は何であるとニッキーは言っていますか？ あなたは同意しますか？ なぜですか？

2. 新約聖書には神の掟を **一つでも**破るとすべてを破ったとして有罪になると書いてありますが (p.48)、なぜでしょうか？

3. 罪は習慣化するということに、あなたは同意しますか？ その例をあげていただけますか？ 習慣化した罪の結果はどのようなものでしょうか？

4. 聖書が指摘する罪の結果には、他にどのようなものがありますか (p.48) ？ それらをどれくらいまで、あなたは体験したことがありますか？

5. 人間の罪に対して神は何をされましたか (p.50) ？ **あなたの**罪によって引き起こされた問題に神が対処してくださったことを、あなたはどのようにして知りましたか (もし知っているなら) ？

6. 「**義認**」とはどのような意味 (p.57) ですか？ イエスの死によって、どのようにして「**義認**」が私たちにもたらされましたか？

7. ヘブライ人への手紙の筆者は **「雄牛や雄山羊の血は、罪を取り除くことができない」**と言っています。では、旧約聖書にあるいけにえの儀式（p.55）の意味は何ですか？

8. 「**罪の力から解放される**」（p.56）とは、どのような意味ですか？「**私たちを縛る罪の力が打ち破られた**」ということは、どのような点で真実なのですか？

9. 「**神は、無実であるイエスを私たちの代わりに罰したのだから不正である**」（p.59）という意見に、あなたはどう答えますか？

10. ジョン・ウィンバーのように、回心の祈りなど「**絶対にやらないぞ**」（p.60）と考えたことがありますか？ あなたの心を変える何かが起こったのですか？

4. 確かに信じるには？

1. 「**神との関係**」という言葉から、あなたは何を連想しますか（p.64）？

2. 「私たちはクリスチャンとして永遠の命を持っていると確信するのはおこがましい」という考えに、あなたはどのように答えますか（p.65）？

3. 私たちの感情ではなく、聖書の約束に頼ることが、なぜそんなにも大切なのですか（p.66）？

4. ニッキーは、 聖書にある多くの約束のうちのどの約束に焦点をあわせていますか（p.66〜67）？ あなたにとっては、どの約束が最も重要なものですか？ なぜですか？ （それらの約束を暗記するようにしましょう）。

5. まあまあ良い生活を送ろうと心がけているので、死んだときには神が天国へ送ってくれることを期待している（p.70）、と言う人に、あなたなら何と言いますか？

6. イエスの死は、なぜそんなにも特別なのですか？ イエスの死によって何が成し遂げられましたか（p.73）？ それは、あなたにどのような関係がありますか？

7. 聖霊の働きが、キリストにある信仰を私たちが確信するのをどのように助けてくれますか（p.75）？ あなた自身の生活の中で、それをどのぐらい気づいていますか？

8. 「**確信を持つことは傲慢ではありません**」（p.78）。あなたが信仰の確信を持つことを妨げるような疑いが、まだありますか？ それらの疑いに対処するために、この章がどのように助けになりましたか？

5. 聖書を読むには？

1. 聖書はあなたにとって「**喜び**」ですか（p.81）？ それは、なぜですか？

2. 聖書と、その他の「霊感を受けた」文学作品との主な違いは何ですか（p.85）？

3. イエスにとっては、「**聖書に書かれていることは、神が言われたこと**」でした（p.86）。あなたもそう信じますか？

4. 聖書が神の言葉であると信じるのは、あなたには難しいですか？ もしそうなら、どのようにすればよいと思いますか？

5. あなたの信じていることや行いを正してくれる聖書の御言葉を、今までに読んだことがありますか（p.89）？

6. 規則書として聖書を読むことは不必要な制限を与える、と主張する人に、あなたならどのように答えますか（p.90）？

7. ニッキーは、聖書は人生のマニュアルであると同時に私たちへの「**ラブレター**」（p.92）である、と言っています。あなたもその体験をしたことがありますか？

8. 聖書を読むときに、あなたは何が起こるのを期待しますか（p.93）？ニッキーがここで述べていることは、あなたの視野を広げましたか？

9. 聖書を通して神が語りかけるのを聞きたいと願う人に、あなたは、どのような具体的なアドバイスを与えますか（p.98）？

6. 神に祈るとは？

1. 祈ったときに、何か「**偶然が起こった**」ことはありますか（p.103）？

2. 「**祈るときには、三位一体の神が関わってくださるのです**」(p.104)。どのように関わってくださるのでしょうか？

3. ニッキーは、祈るための様々な理由を挙げています(p.107)。そのうちの、どれがあなたに関係がありますか？

4. 「**祈りが状況を変えるという考え方に、哲学的な反論をとなえる**」(p.108) 人に、あなたはどのように答えますか？

5. 「**私たちが求めるものがいつも与えられるわけではない理由**」(p.109) は何ですか？

6. 祈りには、どのような主な要素が必要ですか(p.114)？

7. イエスが教えてくださった「主の祈り」は、私たちが祈るとき、どのように導いてくれますか(p.115)？

8. 自分自身の心配事について祈ってもよいのですか(p.118)？ どのような状態であればよい、とニッキーは言っているのですか？

9. 他の人びとと一緒に声を出して祈るのは、あなたには難しいですか？ なぜ、ニッキーは忍耐を勧めているのですか？

10. なぜ、祈りが「**キリスト教の中心**」にあるのですか（p.122）？

7. 神の導きとは？

1. 人生の決断をするときの様々な方法には、どのようなものがありますか？

2. 私たちの人生に対する神の導きを受けるのに妨げとなるものには(p.124)、どのようなものがありますか？

3. 今日では、どのような方法で神は人びとに語りかけておられますか（p.126）？

4. どのようにすれば、祈りが一方通行ではなくなるでしょうか（p.129）？

5. 私たちの人生における神の御心を知る上で、常識はどのような役割を果たしますか（p.133～136）？

6. 霊的な助言者を求めている人に、あなたはどのようなアドバイスをしますか（p.136～138）？

7. 神から答えを頂くのに長い間待たなければならないとき、私たちはどうすべきでしょうか（p.141）？

8. 「**人生をめちゃくちゃにしてしまった**」と思うとき、私たちはどうすべきでしょうか（p.142）？

8. 聖霊とは？

1. 聖霊という概念を、あなたは怖いものと思いますか（p.145）？

2. 聖霊とイエスとの間には、どのような関係がありますか（p.145）？

3. 聖書の中に見られる聖霊の働きと、今日の聖霊の働きとの間には、どのような類似点がありますか（p.146）？

4. 旧約聖書における聖霊の働きと新約聖書における聖霊の働き、— そして今日における聖霊の働きの、主な違いは何ですか（p.150）？

5. 水の洗礼を受けることと聖霊に満たされることの違いは何ですか（p.154～155）？

6. 「**生きた水の川**」がその人の内から流れるとき、その人の人生に何がもたらされますか（p.156）？

7. ペトロは、ペンテコステの日に起こったことをどのように説明していますか（p.157）？

9. 聖霊の働きとは？

1. 人が**「新たに生まれる」**とき、何が起こりますか（p.160）？

2. 人がクリスチャンになる**前に**、その人の内で聖霊は主にどのような働きをしますか（p.161）？

3. クリスチャンになった**後に**、神の前で私たちの身分はどのように変わりますか（p.161）？

4. 聖霊は、私たちが**「神との関係を深める」**のをどのように助けてくださいますか（p.167）？

5. 聖霊はどのような方法で、私たちをイエスにもっと似た者としてくださいますか（p.170）？

6. **「霊による一致を保つ」**ために、クリスチャンは何ができると思いますか（p.172）？

7. **「教会の持つ主要な問題の一つ」**は何であるとニッキーは言っていますか（p.175）？ なぜ、これがそんなにも深刻な問題なのだと、あなたは思いますか？ そのために何ができるでしょうか？

8. どのようにしてクリスチャンの家族は成長していきますか（p.176）？その過程の中で、聖霊はどのように働きますか？

9. ニッキーは、「**すべてのクリスチャンに聖霊が宿っているけれども･･･すべてのクリスチャンが聖霊に満たされているわけではない**」(p.178) と言っています。このギャップを埋めたいと願っている人に対して、あなたならどのようなアドバイスを与えますか？

10. 聖霊に満たされるには？

1. **「理想としては、すべてのクリスチャンが、回心の瞬間から聖霊に満たされていることです」**(p.180)。いつもこうならないのは、なぜだと思いますか？

2. 聖霊の力を体験することは、どれくらい重要なことだと思いますか（p.183）？

3. 神との関係の中で感情を適切に表現することが、なぜそんなにも大切なのですか？ これは感情主義とどう異なるのでしょうか（p.185）？

4. 異言の賜物は、正確には何のためのものですか（p.188）？

5. 異言の賜物を持っていないクリスチャンには何か極めて重要なものが欠けている、と言う人に対して、あなたはどのように答えますか（p.192）？

6. 聖霊に満たされるように祈っているが、まだその祈りが応えられていないという人に対して、あなたならどのような助言をしますか？

11. 悪に対抗するには？

1. 「**多くの欧米人は、悪魔の存在を信じるほうが神を信じるよりも難しいと感じている**」のは、なぜだと思いますか（p.198）？

2. 悪魔に対して「**過度にそれを意識し、不健全な興味を抱く**」ことには、どんな危険性がありますか（p.201）？

3. 個人の生活の中で、悪魔はどのような策略を用いるでしょうか（p.203）？

4. 罪への誘惑と、罪そのものとの違いは何ですか（p.207）？ この違いが、なぜ、それほど大切なのですか？

5. 私たちがクリスチャンになると、悪魔との関係がどのように変わりますか（p.209）？ この結果は、実際にはどういうものですか？

6. エフェソの信徒への手紙6章の中で、パウロはクリスチャンが身に着ける六つの「**武具**」について書いています。実生活では、これらの「**武具**」それぞれは何を意味すると思いますか？

7. 善と悪の霊的な戦いにおいて、私たちはどのように関わるように求められていますか（p.214）？

12. イエスを伝えるとは？

1. キリスト教は「**プライベートなこと**」と言う人に対して、あなたはどう答えますか（p.216）？

2. ニッキーが述べている「**対照的な二つの危険性**」とは何のことですか（p.218）？

3. 私たちの周りの人たちに対して「**塩**」であり、「**光**」であるとは、実際にはどのようなことですか（p.221～222）？

4. 人びとがキリスト教の信仰に対して持っているかもしれない反対意見に対して、どのようにすれば、さらによく準備しておくことができるでしょうか（p.226）？

5. 「**人びとをイエスのところへと導く**」には、どのような方法がありますか（p.229）？

6. 「**祈りは、よい知らせである福音を人に伝える上で欠かすことのできないものです**」(p.233)。なぜですか？

7. イエスのことを伝えたときに「**否定的な反応**」があった場合には、私たちはどのように応答すればよいでしょうか（p.235）？

13. 神のいやしとは？

1. いやしの問題について、**「恐れと懐疑心」**を表す人に、あなたなら何と言いますか（p.238）？

2. ニッキーは、神の国の**「この時代」**と**「来るべき時代」**という言葉を、どのような意味で使っていますか（p.242）？ この理解が、いやしについて考える上で、どのように私たちの助けとなりますか？

3. 「病人をいやしなさい」と弟子たちに言われたイエスの命令は、もはや現在にはあてはまらない、と言う人に対して、あなたは何と答えますか（p.243）？

4. **「私たちが祈るすべての人がいやされるわけではない」**（p.252）とニッキーは言っています。なぜでしょうか？ これは重要なことでしょうか？

5. なぜ**「単純に祈る」**ことが大切なのですか（p.253）？ ニッキーが勧める実際的なステップとはどのようなものですか？

6. いやされなかったのは、祈りを受ける人の信仰が足りなかったからだと言う人に対して、あなたなら何と言いますか（p.255）？

7. **「すぐに劇的な結果が得られない」**場合にも、辛抱強くいやしのために祈り続けることは、なぜ大切なのでしょうか（p.255）？

14. 教会とは？

1. 「**教会**」という言葉を、あなたはどのように定義づけますか？

2. ギリシヤ語の 「教会」という意味は、教会とは何かをどのように説明していますか（p.261）？

3. 新約聖書の中に書かれている、三種類のクリスチャンの集いとはどのようなものですか（p.262）？ それぞれの特別な役割は何でしょうか？

4. 「**教会はたとえ分裂しているように見えることがあっても、実際には一つなのです**」(p.264)。私たちを分裂させるものに対して、私たちには何ができますか？

5. 「一人ではクリスチャンでいることはできません」(p.267)。あなたはこれに同意しますか？ なぜですか？

6. なぜ、あなたにはクリスチャンの仲間が必要なのでしょうか（p.267）？ また、彼らはあなたを具体的にどのように必要としているのでしょうか？

7. 「**神の住まい**」とは、実際にはどのような意味ですか（p.271）？

8. どのようにしたら、パンとぶどう酒にもっと豊かにあずかることができるでしょうか（p.274）？

9. どのような点で、教会が新約聖書に書かれてあるように機能していないと思いますか（p.276）？　この状態をより良くするために、私たちに何ができると思いますか？

15. 人生を最高に生きるには？

1. この世はどのように、あなたを**「無理やり型にはめよう」**としますか（p.280）？　どのようにこのプレッシャーに抵抗できるでしょうか？

2. **「聖書における性交渉は、男と女の間になされる結婚という生涯の誓いに基づくものです」**（p.284）。なぜそうなのですか？ この境界線を越えると、どのような危険があるのでしょうか？

3. この境界を越えてしまい、今はそのことを痛切に後悔している人に、あなたは何と言いますか（p.285）？

4. **「ゴミを捨てるまでは、神が私たちのために備えてくださっている素晴らしいものを私たちは楽しむことができません」**（p.285）。実生活に適用すると、これはどのようなことを意味していると思いますか？

5. **「ありのままの自分が神に愛されている」**（p.287）ことを信じるのが難しいという人に、あなたは何と言いますか？

6. 私たちの人生の、神による優先順位をどのようにしたら知ることができますか（p.289）？

7. 私たちの人生で神にすべてを献げていない領域を見つけたら、実際にはどのようにしたら良いでしょうか（p.289）？

8. 「**信仰を貫こうとするときには、犠牲を伴うこともあるでしょう**」という真理を、どのように体験したことがありますか（p.292）？　その犠牲には価値はありましたか？

9. 「**神は私たちを愛しておられ、私たちの人生に最善を願っておられます**」(p.293)。しばしば、これを信じることが難しいのは、なぜですか？

10. 「**イエスを見つめる**」（p.295）とは、具体的にはどのようなことを意味していますか？ クリスチャンの生活をする中で、これはどのように助けになりますか？

アルファ・ブックス日本語版ご案内

『なぜ、イエス様？』

アルファ・コースを始めるすべての参加者にお勧めする小冊子です。

『なぜ、クリスマス？』

『なぜ、イエス様？』のクリスマス版です。

『人生の疑問』

アルファ・コースを本の形にしたものです。今日の社会に合ったエキサイティングな正統派キリスト教への道を、15のトークの中で示しています。

『アルファ・コース・ビデオ・セット』（全5巻）

アルファ・コースがビデオになったものです。15のトークが5巻のビデオに収められています。一つのトークはそれぞれ約40分です。

『さあ、伝えよう！』

コース・リーダーとヘルパーのために役立つ手引書。アルファを行なうにあたっての実際的なガイドラインが示されています。

『アルファ・コースの可能性を最大限に広げるために』

コースを行なうにあたって、よくなされる間違いをどのように避けるかや、どのように新しい人びとをコースに招くかなどの、三つの重要なポイントについて書かれた本です。

『アルファ・コース 運営ハンドブック』

コースを準備し行なうためのステップが分かりやすく記された、大変役に立つハンドブック。

『アルファ・チーム・トレーニング・マニュアル』

コース・リーダーとヘルパーのための小冊子。毎週のスモールグループでの役に立つ質問事項や、主な聖書からの引用が記されています。

本書にある聖書の引用は、別途記述がない限り、すべて、日本聖書協会発行『聖書 新共同訳』を用いています。

Originally published in English under the title
Questions of Life

Text cartoons by Charlie Mackesy
Published by KINGSWAY COMMUNICATIONS LTD
Lottbridge Drove, Eastbourne BN23 6NT, England.
Email: books@kingsway.co.uk

人生の疑問

2003年４月　初版発行
2004年２月　第２版発行

著　者　　ニッキー・ガンベル
翻訳・監修　アルファ・ジャパン翻訳委員会
発行所　　アルファ・ジャパン
〒113-0033　東京都文京区本郷1-25-3　松尾ビル7F
Tel：03-3868-8775　Fax：03-3868-8776
E-mail：info@alphajapan.jp
Web：www.alphajapan.jp
印刷所　　新生宣教団

乱丁・落丁本は、ご面倒ですが発行者宛お送りください。
送料当方負担にてお取替えいたします。

Printed in the USA
CPSIA information can be obtained
at www.ICGtesting.com
LVHW020859210724
785408LV00007B/42